JEG FORBANNER
TIDENS ELV

Per Petterson

JEG FORBANNER TIDENS ELV

Roman

FORLAGET OKTOBER
2010

2. opplag

PER PETTERSON *Jeg forbanner tidens elv*
© Forlaget Oktober as, Oslo 2008
Første gang utgitt i 2008
Første pocketutgave 2009
Bokomslag: Egil Haraldsen & Ellen Lindeberg | EXIL DESIGN
Papir: Norbook 50 g, bulk 2.4
Trykk og innbinding: UAB Print it, Litauen, 2010
ISBN: 978-82-495-0643-9
www.oktober.no

Strofen fra diktet «Tilbake til Shaoshan» på s. 62 er hentet fra Mao Tsetungs dikt, gjendiktning ved Kjell Heggelund og Tor Obrestad, Gyldendal 1971.

Til Steen

I

Alt dette skjedde for en god del år siden. Mora mi hadde følt seg elendig i lengre tid. For å få slutt på maset fra dem omkring henne som var bekymra, brødrene mine særlig, og faren min, gikk hun til slutt til den legen hun pleide å bruke, som familien min hadde brukt siden tidenes morgen. Han må ha vært veldig gammel på det tidspunktet, for jeg kan ikke huske at vi noen gang *ikke* hadde gått til han, og jeg kan heller ikke huske at han noen gang var ung. Jeg brukte han sjøl, enda jeg bodde flere mil unna.

Etter en kort sjekk sendte denne gamle familielegen henne raskt videre til Aker sykehus for nærmere undersøkelser. Da hun hadde vært inne til flere, kanskje smertefulle prøver i hvitmalte rom eller rom malt lysegrønne, eplegrønne, i det store sjukehuset som lå nesten nede ved Sinsenkrysset på den sida av Oslo jeg alltid har likt å tenke på som *vår* side, altså østsida, fikk hun beskjed om å dra hjem og vente i fjorten dager på resultatene. Da de endelig kom, viste det seg at hun hadde kreft i magen. Den første reaksjonen hennes var denne: Her har jeg ligget våken om natta i år etter år, særlig da unga var små, og vært livredd for å dø av lungekreft, og så får jeg kreft i magen. Så mye bortkasta tid!

Mora mi var sånn. Og hun var en røyker, som jeg har vært det i hele mitt voksne liv. Jeg kjenner godt den nattlige tilstanden der du ligger stiv under dyna med tørre, verkende øyne og stirrer inn i mørket og føler livet bokstavelig talt smake aske i munnen, sjøl om jeg nok har vært mer bekymra for nettopp mitt eget liv enn for at unga mine skulle bli farløse.

Ei stund satt hun bare ved kjøkkenbordet med konvolutten i hånda og stirra ut gjennom vinduet på den samme gressplenen, det samme hvitmalte stakittet, de samme tørkestativene og de samme prikk like grå rekkehusene hun hadde sett i så mange år, og hun tenkte det hun hadde tenkt i nesten like mange år, at hun egentlig ikke likte seg her i det hele tatt. Likte ikke all gråsteinen i dette landet, likte ikke granskogen eller viddene, likte ikke fjellene. Hun kunne ikke se fjellene, men hun visste at de var der ute overalt og hver eneste dag satte sitt preg på menneskene som bodde i Norge.

Hun reiste seg, gikk ut i gangen og tok en telefon, la røret på etter en kort samtale og gikk tilbake og satte seg ved bordet igjen for å vente på faren min. Faren min var pensjonist og hadde vært det i flere år, det var hun som var i jobb, fjorten år yngre enn han, men denne dagen hadde hun fri. Eller hun hadde tatt seg fri.

Faren min var mye ute, hadde alltid et eller annet han skulle ordne, ærender som mora mi sjelden fikk med seg hva gikk ut på og aldri hadde sett noen resultater av, men det som hadde vært av konflikter dem imellom, hadde stilna av for lenge siden, det var våpenhvile nå. Så lenge han ikke prøvde å styre hennes liv, fikk han være i fred med sitt eget. Hun hadde til og med begynt å forsvare og beskytte han. Hvis jeg kom med et kritisk ord, på parti med henne i et misforstått forsøk på å støtte kvinnesaken, fikk jeg beskjed om å passe mine egne saker. Det er lett for deg å være kritisk, sa hun, som har fått alt opp i hendene. Din sprett.

Som om livet mitt gikk på skinner. Jeg var på full fart inn i en skilsmisse. Det var min første, jeg trudde livet skulle gå i knas. Enkelte dager greide jeg ikke bevege meg fra kjøkkenet til badet uten å måtte ned i knestående minst én gang før jeg orka å ta meg sammen og gå videre.

Da faren min endelig kom hjem fra det av prosjektene sine han syntes var mest presserende, noe på Vålerenga antakelig, som var stedet han opprinnelig kom fra og hvor jeg sjøl ble født sju år etter Krigen, et sted han ofte dro tilbake til for å treffe menn på sin egen alder med samme bakgrunn, i «Gubbelaget» som det het, satt mora mi fortsatt ved kjøkkenbordet. Hun hadde en sigarett i munnen nå, en Salem antakelig, eller kanskje en Cooly, det ble mye mentolsmak for den som var redd for lungekreft.

Faren min sto i døråpninga med en gammel bag i hånda, ikke ulik den jeg brukte i sjette og sjuende klasse på folkeskolen, alle gikk jo med bag da, og for alt jeg veit så *var* det den. Det betydde i så fall at den bagen var mer enn femogtjue år gammel på det tidspunktet.

– Jeg reiser i dag, sa mora mi.

– Hvor da, sa faren min.

– Hjem.

– Hjem, sa han, – i dag? Vi må vel snakke om det først? Jeg må vel få tid til å tenke meg om?

– Det er ingenting å snakke om, sa mora mi. – Jeg har bestilt billett. Jeg har nettopp fått brev fra Aker sykehus. Jeg har kreft.

– Har du kreft?

– Ja. Jeg har kreft i magen. Så jeg må hjem en tur nå.

Hun sa fortsatt *hjem* om Danmark, om den spesielle byen hun kom fra langt nord i det lille landet, enda hun hadde bodd i Norge, i Oslo, i temmelig nøyaktig førti år.

– Men, vil du dra aleine, da, sa han.

– Ja, sa mora mi, – det er det jeg vil, og hun visste at når hun sa det på den måten, ble faren min såra og lei seg, og det hadde hun jo ingen glede av, tvert imot, han har fortjent bedre, tenkte hun, etter så mye liv, men hun følte ikke at hun hadde noe valg. Hun var nødt til å reise aleine.

– Jeg blir nok ikke lenge, sa hun, – bare noen dager, så kommer jeg tilbake. Jeg må jo inn til sykehuset. Jeg skal vel opereres. Det håper jeg i hvert fall. Uansett tar jeg båten i kveld.

Hun så på armbåndsuret sitt.

– Det vil si om tre timer. Det er best jeg går opp og pakker.

De bodde i et rekkehus med kjøkken og stue i første etasje og tre små soverom og et knøttlite bad i annen. Jeg vokste opp i den leiligheten. Jeg kjente hver rynke i tapetet, hver sprekk i golvet, hver eneste skremmende krok i kjelleren. Det var et Selvaaghus. Hvis du sparka hardt nok i veggen, forsvant foten inn til naboen.

Hun stumpa sigaretten i askebegeret på bordet og reiste seg. Faren min hadde ikke rørt seg fra der han sto i døråpninga med bagen i den ene hånda. Den andre hånda var løfta vagt og usikkert i hennes retning. Han hadde aldri vært noen racer når det gjaldt fysisk kontakt, ikke på utsida av bokseringen, og det var vel ikke hennes sterke side heller, men nå skøyv hun faren min forsiktig, nesten kjærlig til side så hun kunne passere. Han lot henne gjøre det, men såpass motvillig, med såpass stor motstand og treghet at hun forsto han ville gi henne noe håndfast, et tegn, uten å måtte formulere det med ord. Men det der er jo for seint nå, sa hun inni seg, det er altfor seint, sa hun, men han hørte henne ikke. Likevel lot hun godvillig faren min holde henne såpass lenge igjen, at han forsto det var nok imellom dem etter førti års samliv og fire sønner, sjøl om én av dem allerede var død, at de fortsatt kunne befinne seg i samme hus, i samme leilighet og kunne sitte og vente på hverandre og ikke bare reise av gårde, hals over hode, når noe viktig hadde skjedd.

Båten hun reiste med, som vi alle reiste med når vi skulle i den himmelretningen, het *Holger Danske*. Den endte sitt liv som hybelbåt for flyktninger i Sverige kort tid etter at alt dette fant sted, i Stockholm først og så i Malmö, har jeg funnet ut, og er i dag blitt til skrapjern i et land i Asia for lenge siden, på ei strand i India, eller i Bangladesh, men i de dagene som jeg forteller om her, gikk den fortsatt i fast rute mellom Oslo og denne byen helt nord i Jylland som var identisk med byen hvor mora mi vokste opp.

Hun likte den båten og mente at den hadde fått et ufortjent dårlig rykte, «*Holder Kanskje*», som den het på folkemunne, eller «*Kommer Kanskje*», som den også ble kalt, men den var en mye bedre sjøbåt enn de flytende kasinoene som trafikkerer den ruta i dag, der mulighetene for å drikke seg sanseløst full er blitt sanseløst mange, og om *Holger Danske* kanskje rulla en del fra side til side i dårlig vær, og noen som følge av det måtte kaste opp, betydde ikke det at den var på vei ned i det store sluket. Jeg har kasta opp sjøl på *Holger Danske* og har tatt det på strak arm.

Mora mi hadde sans for dem som jobba om bord. På en uforpliktende måte kjente hun etter hvert flere av dem godt, større var ikke båten, og de visste hvem *hun* var og kjente henne igjen idet hun kom inn over landgangen, og de hilste henne velkommen som en av sine egne.

Kanskje de denne gangen la merke til et større alvor enn vanlig i måten hennes å være på, å gå på, i måten hun så seg omkring, som hun ofte gjorde med et smil om munnen, som ikke egentlig *var* et smil, for det var ingenting å smile av som noen kunne se, men det var sånn hun så ut når noe opptok henne veldig og hun ganske sikkert befant seg et helt annet sted inne i hodet enn hva de trodde som sto omkring. Jeg syntes hun var spesielt pen da. Hun ble så glatt i huden, og øynene fikk en merkelig, klar glans. Som liten gutt satt jeg ofte og studerte henne grundig når hun ikke visste at jeg var til stede i rommet eller kanskje heller hadde glemt at jeg var der, og da følte jeg meg ensom og forlatt. Men det var spennende òg, for hun så ut som en kvinne i en film på TV, som Greta Garbo i *Dronning Kristina* som sto drømmende i baugen på skipet sitt mot slutten av filmen, på vei til et annet, mer åndelig sted, og likevel på merkelig vis var kommet inn på kjøkkenet vårt og for en stund hadde satt seg ned der på en av de røde stålrørsstolene med en rykende sigarett mellom fing-rene og et oppslått, men foreløpig urørt og uløst kryss-ord foran seg på bordet. Eller som Ingrid Bergman i *Casablanca*, for hun hadde samme frisyren og samme buen langs kinnet, men mora mi ville aldri sagt: *You have to think for both of us* til Humphrey Bogart. Ikke til noen.

Hvis mannskapet på *Holger Danske* fikk med seg denne eller noen annen forandring i måten hennes å møte dem på, da hun kom inn over landgangen med den lille brune kofferten av imitert skinn, som jeg har arva og fortsatt bruker overalt hvor jeg reiser, var det i så fall ingen av dem som bemerka noe i den retning, og det trur jeg hun var glad for.

Da hun kom ned i lugaren, la hun kofferten på en stol, tok et tannglass fra hylla over vasken og skylte glasset godt før hun åpna kofferten og dro ei lita flaske opp fra mellom klærne. Det var ei halv Upper Ten, som var whiskymerket hun foretrakk når hun drakk brennevin, og det gjorde hun, trur jeg, en god del oftere enn det vi hadde kjennskap til. Ikke at det var vår sak, men brød-rene mine syntes Upper Ten var noe billig dritt, i hvert fall som reisebrennevin når du hadde tilgang på toll-frie varer. De foretrakk maltwhisky, Glenfiddich eller Chivas Regal, som var det du fikk på danskebåten, og holdt lange foredrag om særlig «single maltens» milde strøk mot ganen og den slags nonsens, og vi mobba mora mi for hennes dårlige smak. Da så hun bare kaldt på oss og svarte:

– Er dere *mine* sønner? *Snobb*? Og så sa hun, skal du synde, skal det svi. Og sannheten er at jeg var enig med henne, og for å være ærlig kjøpte jeg også det norske merket Upper Ten de gangene jeg vågde meg på polet, og den whiskyen var verken single malt eller mild mot ganen, men fikk det til å svi i halsen og tårene til å stå i øynene om du ikke var mentalt forberedt når den første slurken kom. Det betyr ikke at det var en dårlig whisky, men den var billig.

Så skrudde mora mi korken av flaska med en brå bevegelse, og hun fylte glasset omtrent kvart fullt, tømte det i to slurker, og det svei henne sånn i munnen og halsen at hun måtte hoste lenge, og da gråt hun litt med det samme, siden det allikevel gjorde vondt. Så la hun flaska fort tilbake under klærne i kofferten, som var det kontrabande hun hadde der og tollerne sto på døra med brekkjern og håndjern, og hun vaska tårene fra ansiktet foran speilet over springen og tørka seg grundig og dro litt i klærne foran som litt lubne kvinner nesten alltid gjør, før hun gikk opp for å spise i kafeteriaen som var en upretensiøs kafeteria på alle måter, og menyen var upretensiøs og oversiktlig, sånn som hun ville ha den, og da var jo *Holger Danske* den rette båten.

Med seg opp i kafeteriaen hadde hun den boka hun leste for tida, og hun leste alltid, hadde alltid ei bok stukket ned i veska, og hvis Günter Grass hadde kommet med ei bok nylig, var det temmelig sikkert den hun hadde med seg, på tysk. Da jeg kort etter gymnaset slutta å lese noe som helst som var skrevet på tysk, av den enkle grunn at det ikke var pensum lenger, skjelte hun meg ut og sa jeg var intellektuelt lat, og jeg forsvarte meg og sa at det var jeg ikke, men det var en prinsippsak, sa jeg, fordi jeg var antinazist. Det gjorde henne forbanna. Hun retta en dirrende pekefinger mot nesa mi og sa, hva vet vel du om Tyskland og Tysklands historie og det som skjedde der. Din sprett. Det sa hun ofte: *Din sprett*, sa hun, og det er sant at jeg ikke var høy av vekst, men det var ikke hun heller. Derimot var jeg sprek, det har jeg alltid vært, og i mobbeordet *sprett* lå jo begge deler, at jeg var rimelig kort av vekst, som hun var det, og en spreking på samme tid, som faren min var det, og at hun kanskje likte meg sånn. Det håpte jeg iallfall. Så når hun skjelte meg ut iblant og samtidig kalte meg en sprett, ble jeg aldri urolig for alvor. Og det *var* ikke så veldig mye jeg visste om Tyskland på det tidspunktet da den samtalen fant sted. Hun hadde et poeng der.

Jeg kan ikke forestille meg at hun var i sosialt lune, i kafeteriaen på *Holger Danske*, og oppsøkte et bord hvor det allerede satt noen, og åpna en samtale med dem for å høre om hva de tenkte, og hva de drømte om, fordi de var som henne sjøl og hadde samme bakgrunn, eller omvendt, fordi vi *er* jo ikke som hverandre, og i forskjellene finner en det som er interessant, det er *der* mulighetene ligger, mente hun, og hun oppsøkte de forskjellene og fikk mye ut av dem. Så denne gangen satte hun seg aleine ved et tomannsbord og spiste i taushet og leste konsentrert i boka si ved kaffen etter maten, og da koppen var tom, tok hun boka under armen og reiste seg. Akkurat da kroppen hennes forlot stolen, følte hun seg så plutselig sliten at hun tenkte hun ville falle om i det øyeblikket og aldri reise seg igjen. Hun holdt seg fast i bordkanten, verden seilte som båten seilte, og hun forsto ikke hvordan hun skulle greie å komme seg gjennom hele kafeteriaen, forbi resepsjonen og ned trappene. Og så greide hun jo det allikevel. Hun trakk pusten djupt og lenge og gikk fjellstøtt mellom bordene, ned trappa til lugarene med målbevisste skritt, hun hadde *det* uttrykket i ansiktet jeg allerede har beskrevet, og bare et par ganger måtte hun støtte seg mot veggen på vei bort den lange korridoren før hun fant nummeret sitt på døra, fant nøkkelen fram fra kåpelomma, og hun låste bak seg med én gang hun var inne. Så fort hun hadde satt seg på senga, helte hun en kraftig dose Upper Ten i tannglasset og tømte glasset i tre raske slurker, og hun gråt da det gjorde vondt.

2

Da mora mi var kommet over landgangen fra *Holger Danske* og ut på brygga i den nordjyske byen, som var hennes egen by, og som hun fortsatt kalte *hjem* etter førti år med fast adresse i Oslo, gikk hun langs bryggene med den lille brune kofferten i hånda og videre forbi verftet som faktisk ikke ble nedlagt i den perioden, på åttitallet, da de fleste andre verft i Danmark falt sammen som korthus. Videre gikk hun forbi Tordenskjolds gamle hvitkalka kruttårn som kommunen hadde flytta til akkurat den plassen hvor det sto nå, fra der det sto før, hundre og femti meter nærmere kaikanten. De hadde gravd ut under tårnet og lagt et stort antall godt brukte jernbanesviller på plass, noen gigantiske trekkanordninger ble konstruert og satt opp, og mer enn tusen liter grønnsåpe ble brukt for å få det hele til å gli. Og de fikk det faktisk til. De dro det runde, ufattelig mange tonn tunge steintårnet centimeter for centimeter bort til det nye stedet som var gjort klart på alle vis, og kunne på den måten få lagd en ny tørrdokk til verftet uten å måtte ødelegge en av byens veldig få attraksjoner. Men det var lenge siden nå, at den operasjonen ble utført, og hun var egentlig ikke sikker på om versjonen med grønnsåpa og jernbanesvillene var helt sann, den hørtes jo litt merkelig ut, og hun var ikke der da det skjedde. Hun var i Norge på det tidspunktet, motvillig, bortført av skjebnen, som et gissel, nesten, men de hadde i hvert fall fått det til. Tårnet var definitivt flytta.

Tre år tidligere ble faren hennes lagt i jorda (irritert og utålmodig som han alltid hadde vært) på gravlunden ved Fladstrand kirke, kant i kant med den vakre parken Plantagen, som kirkegården delte sine trær med, delte bøketrær og ask og lønn, i den samme grava som mora hennes blåøyd og forvirra nesten frivillig la seg ned i to år før det igjen, og der broren hennes hadde ligget i femogtredve år, himmelfallen og ufrivillig etter et altfor kort liv.

Det satt ei due på den felles gravsteinen og kikka ned. Den var av metall, så den kunne ikke fly sin vei, men i blant var den borte likevel, og da sto det bare en pigg igjen. Noen hadde tatt den dua, noen hadde kanskje ei hel samling med duer og engler og andre små milde, kristne skulpturer av bronse i skapet sitt hjemme og tok dem fram i seine kvelder med gardinene for og strøyk fingrene forsiktig over de glatte, kalde kroppene. Men hver gang noen hadde rappa den dua, måtte hun bestille ei ny due i begravelsesbyrået et stykke oppe i veien og få dem til å sette den fast. Kanskje gjorde de en dårlig jobb, for dua hadde forsvunnet tre ganger på tre år.

De gangene hun var innom gravlunden nå, kunne hun ikke lenger gå derfra eller sykle forbi pleiehjemmet til et hus i sentrum av byen, til en leiegård egentlig, med do i bakgården, i ei gate som gikk ned fra hovedgata til havna, Lodsgade, het den, og peke mot vinduene, mot potteplantene i annen etasje og si at det var her hun hadde hørt til, at det var her hun hadde blitt den hun var, og så peke mot vinduet til kammerset i første etasje ved sida av melkebutikken, som mora hennes hadde drevet, og forsøke å si noe om hvem broren hennes hadde vært, og ikke lykkes. Hun kunne heller ikke gå innom en tidlig morgen og banke på døra bak den åpne smijernsporten, med rundstykker i en papirpose etter å ha lagt til med båten fra Norge. Ingen åpna den døra, det var ikke lenger hennes gate. Så da gikk hun ikke Lodsgade opp i byen, men i stedet langs havneplassen med en merkelig blafrende følelse i brystet fortsatt etter tre år, og helt opp til den nye jernbanestasjonen og satte seg inn i ei drosje der. Den gjorde en blinkende sving bort fra fortauskanten i retning Nordre Strandvej og kjørte forbi sjømannsskolen og Tordenskjolds Skanse, som lå bortgjemt med sine friserte voller og kanoner bak de høye poplene langs veien, og kjørte ut forbi roklubbens lokaler. Det var en kafeteria i de lokalene, som hun ofte hadde besøkt, på sykkel, og sittet ved et bord med en Tuborg foran glassveggen på utsida mot det lille havnebassenget og mot havet, og sett de små blåmalte, rødmalte båtene komme tøffende inn gjennom den smale åpninga i moloen, legge til eller reise ut igjen med fiskeredskap om bord, men da bare som hobby, for alt seriøst fiske var dødt langs kysten her for flere år siden.

Drosja kjørte videre over det vindblåste, åpne strekket med marehalm og sand og busker som det fykende været holdt nede i knestående det ene året etter det andre, og havet lå fast som en blågrå porete hud så tidlig på dagen, og lufta over havet var hvit som melk. Der asfalten slutta og grusveien begynte, svingte bilen inn mellom eldgamle nyperosebusker og krokete furu-trær, og hele turen ut tok faktisk ikke mer enn et kvarter. Det var rart, syntes hun, for det var som å kjøre i sakte film; den lette disen mot vinduet i bilen, det grå lyset over vannet, og øya der ute med lykta i fyrtårnet tent i bleike, seige glimt, og de siste nypene hang fortsatt i buskene, hver enkelt av dem lysende røde, nesten blå som små kinesiske lamper. Da hun snudde seg for å se ut av det motsatte vinduet, glei hodet bare sakte fra den ene sida til den andre, hun fukta leppene med tunga, så ned på hendene sine, og lot fingrene bevege seg sakte. Huden kjentes nummen og stiv, og hun smilte uten grunn.

Før hun lot drosja dra tilbake til byen, gjorde hun en avtale om å bli henta grytidlig om morgenen fire dager seinere. Sjåføren var bare glad til, sa han, så kom han seg opp i tide, og det var jo slett ikke alltid, måtte han medgi, han var for glad i en bayer eller fem om kvelden.

– Du skal få tips nok til ti bayere av meg, sa mora mi, – bare du stiller her som avtalt. Det er viktig, sa hun, – jeg har en plan, forstår du, og hun løfta pekefingeren mot sjåføren i en nesten truende bevegelse, men den unge mannen bare flirte, og da smilte mora mi også.

– Det skal jeg nok, sa han. Han akte seg inn i førersetet etter å ha hjulpet henne helt opp under den buskete furua og videre til terrassen og satt kofferten der, og han sa: – På gjensyn, da, og han rygga bilen i en halvsirkel først, og så svingte han ut fra den gresskledde tomta foran sommerhuset der han hadde tatt imot betaling og driks i rikelig monn, og han vinka bak vinduet og kjørte tilbake til byen med lyset på taket tent gjennom det som fortsatt kunne kalles for grålysning, en torsdag morgen tidlig i november.

II

3

Jeg fikk ikke med meg at mora mi reiste. Jeg hadde nok med mitt eget liv. Vi hadde ikke snakka sammen på en måned eller kanskje mer, og det var vel ikke så uvanlig på den tida, i 1989, med alt det som foregikk omkring oss da, men det *føltes* uvanlig. Det føltes uvanlig fordi det var med vilje fra min side. Jeg prøvde å unngå henne, og det gjorde jeg fordi jeg ikke ville høre hva hun hadde å si om livet mitt.

Den ettermiddagen da mora mi tok T-banen aleine fra Veitvet i Groruddalen og ned til Jernbanetorget med den brune kofferten av imitert skinn i hånda for så å krysse den fuktige plassen på sjøsida av den gamle Østbanestasjonen med motvind i håret på vei over til det flate, forblåste terminalbygget som tilhørte J.C. Hagen & Co og den skeive utstikkeren der *Holger Danske* lå ved kai i sin aller siste uke, skulle det vise seg, kom *jeg* samtidig kjørende i en bil som ikke var min, fra grusveiene i Nittedal med døtrene mine i baksetet, den ene ti år gammel, den andre sju. Bilen var en fem år gammel sølvgrå Volkswagen Passat som tilhørte en mann jeg hadde kjent i ti år, som ville lånt meg hva som helst.

Det var i ferd med å bli mørkt akkurat da, ja mørket kom rullende som tidevannet gjorde ved kysten av

Jylland da jeg var på jentenes alder, like overraskende og plutselig hver eneste gang, og det gjør det vel fortsatt. Det var tidlig november, de to jentene i baksetet sang en Beatles-sang de hadde lært fra en av de gamle platene mine, «Michelle», kan jeg huske at det var, fra *Rubber Soul*, og den sangen var vel ikke noe mesterverk akkurat, men de likte Paul McCartney, han skreiv sanger det var lett for barn å synge. Og det hørtes faktisk ganske fint ut, ja til og med de setningene som liksom skulle være på fransk, hørtes fine ut, og jeg slapp rattet mens vi kjørte den rette strekninga etter Hellerudsletta på vei mot Skjetten langs åsen og ga applaus så godt jeg kunne.

Det var fint å ha dem begge i baksetet. På den måten kunne de snakke med meg om hva de ville uten å måtte se meg i ansiktet, og jeg på min side slapp å se inn i ansiktene deres, og noen ganger lot *de* være å se på hverandre i tillegg, og da satt vi alle tre og glante ut av vinduene hver vår vei uten å si noe som helst, mens bilen trilla videre, og alle visste vi at ting ikke var som de skulle være. Jentene visste det, og jeg visste det, og hun som ikke satt i bilen visste det kanskje best av alle, og det var derfor hun heller ikke var med på disse turene.

Sånn var situasjonen.

– Skal vi dra ut og se på jorder, kunne jeg stå i gangen hjemme og spørre høyt, og da ropte de to jentene nesten alltid:

– Ja! fra hvert sitt lille rom, – ja, vi vil! mens hun jeg var gift med sa:

– Bare dra dere. Jeg blir hjemme.

Og hele poenget var at hun skulle si nettopp det. Hadde hun sagt:

– Ja, jeg blir med, så ville ikke noen av oss ha visst hvordan en sånn tur skulle gjennomføres, hva vi skulle snakke om, hvilken vei vi skulle se. Så da gikk vi, jentene og jeg, ned trappene til garasjen, gjennom de tunge, gule metalldørene som smalt hardt og hult igjen bak ryggene våre, og for det meste kjørte vi til Nittedal mot nord, og noen ganger til Nannestad om vi hadde god tid, og det hendte vi dro helt opp til Eidsvoll og elva der, kjørte sakte over den fine støpejernsbrua mens vi glante ned i vannet som kom duvende forbi oss rett under bilen, parkerte i sentrum like etter og spiste vafler på en kafé vi visste om fra før. Men det vi likte best av alt var grusveiene mellom jordene, de humpete grå veiene langs slåtteengene og kornåkrene, langs de rutete sauegjerdene og de gamle strømgjerdene med hvite porselensknapper på stolpene, langs de rustne, halvt nedfalne piggtrådgjerdene. Bare kjøre på de veiene og synge Beatles-sanger, i bakker opp og bakker ned, i stadig nye kurver og svinger, åkrene bleikgrønne til høyre og brungrå til venstre i skiftende rekkefølge, sånn som det var nettopp den høsten, i 1989, i det matte lyset i Nittedal, på Nannestad og helt oppe ved Eidsvoll, de barblåste trærne ved bekkefarene, og så se det hele hvelve seg strågult opp i store flater og kvadrater og rundt noen av svingene se en oransje farge komme snikende til syne med et sykelig lys der hvor stubbjordet nylig var sprøyta med Roundup, og etter det ble det lilla og altoppslukende svart hvor åkrene var pløyd opp i siste lita før vinteren kom dettende, der alt lys ble sugd ned og bare forsvant.

Vi kjørte litt fortere forbi nettopp de stedene, men så lo vi litt også, og ropte med syltynne, forskremte stemmer:

– Pass opp, for Guds skyld, ropte vi. – Her kommer det et svart høl! Og jeg hadde jo fortalt dem om svarte høl, om hvordan ting ble sugd ned i dem og forsvant, hvordan liv ble sugd ned, hele verdener sugd ned, ja kanskje *vår* verden sugd ned, og da la jeg bilen helt over i den motsatte grøfta, og jentene skreik i baksetet, og vi berga oss bare så vidt. Så pusta vi letta ut og lo igjen, for aldri hadde vi vært *så* nær det kosmiske sluket, og etter det sang vi «I should've known better» i hvert fall tostemt mens jeg dunka takten mot rattet.

Og så kom det tidlige mørket rullende, og det var ikke mer å se. Inne i bilen ble det mørkt omkring skuldrene våre og mørkt omkring hendene. Bare håret til jentene gløda i skinnet fra lykter langs veien, i rødt og i gult, og tallene lyste på speedometeret, og fjernlysets lille blå lampe ble tent og slått av med den møtende trafikken, og vi slutta å synge på vei forbi Skjetten og var tause over brua ved Strømmen stasjon.

Det var kanskje en halv dag siden vi kjørte ut av garasjen under blokka hjemme, og vi var så sultne nå at hodene svømte og var numne i kantene, om en kan si at et hode har kanter, men ingen ville bryte det stille mørket der bare retningsviseren tikka i blinkende grønt til høyre på dashbordet for en siste omvei i skogkanten, rundt det store sjukehuset i en seig sving før vi snudde på sletta før den gamle kirka og dro tilbake opp de lange bakkene til drabantbyen vi bodde i, og jeg skulle så gjerne ha visst hva jentene tenkte når de satt sånn i baksetet og ikke sa noe til hverandre. Det *jeg* tenkte på, var skilsmissen som hver dag rykka nærmere, som kom seilende stille som en hubro i natta, enda den fortsatt var noe vi bare hadde avtalt, uten dato, uten årstid, vi to som til nå hadde holdt sammen i femten år og hadde disse to jentene i lag, disse jentene med det skinnende håret i rødt og i gult, eller den var noe som *hun* hadde avtalt, om jeg skulle være ærlig. Jeg kjente ansiktet stivne, jeg var tørr i munnen. Om noen hadde spurt meg, hvordan har du det nå, da skulle jeg ha svart, det gjør vondt akkurat *her*, og pekt på et sted helt øverst i brystet, eller kanskje mer riktig, helt nederst i halsen. Jeg kom tidligere og tidligere på jobben. Det svei bak øyenlokkene når jeg satt på bussen. Jeg visste ikke hva jeg hadde i vente. Kanskje ble det enda verre seinere, når jeg var helt aleine? Jeg frykta det, at det skulle bli verre. Jeg frykta hva det ville gjøre med kroppen min, smerten jeg kjente i brystet som ville bli verre, kampen for å kunne svelge den minste lille matbit, som ville bli verre, og den overraskende lammelsen i beina, tankene flagrende hit og dit som ødelagte radiobølger, og de bunnløse, ville fallene jeg var med på i søvne, alt dette ville i så fall bli verre, og i tillegg den sjokkerende oppdagelsen av at det var lite jeg kunne gjøre med det. Ingen viljesakt fikk meg ut av den tilstanden, ingen tankesprang dro meg opp. Det eneste mulige kunne noen ganger være å bli sittende lenge nok i en stol og vente til de verste herjingene hadde stilna av ei stakka stund for så å kunne orke de mest nødvendige tingene, å skjære ei brødskive, å gå på do, eller bevege meg hele den utmattende veien fra stolen i stua, gjennom entreen og fram til soverommet for å legge meg i senga. Enkelte ganger ga jeg det opp og sovna heller der jeg satt, og våkna så hver eneste gang med et sprang og et knitrende blått lys i hodet fordi jeg hørte nøkkelen hennes i døra.

Det jeg fikk til var disse turene, gjennom dette landskapet, Nittedal, Nannestad, Eidsvoll. Det var noe med fargene rett før vinteren kom dalende, eller heller mangelen på dem, noe med linjene i skogkanten og kurvene i veien, jeg tenkte at jeg kanskje kunne huske det alt sammen seinere, når ting var blitt annerledes. Og det var det at jeg ikke sto stille, men tvert imot rulla fram uten hast i min egen, champagnefarga Mazda, eller som nettopp denne gangen, tidlig i november, 1989, i en sølvgrå Volkswagen Passat som ikke var min. Og det var noe med jentene i baksetet, som sang «Eleanor Rigby» og «When I'm sixty-four», som også var skrevet av Paul McCartney. Aldri hadde jeg hørt de sangene sunget på den måten før, og jeg tenkte at dét også var noe jeg ikke måtte glemme.

Vi kom opp i tredje gir fra den siste bakken, som var lang og bratt og skummel om vinteren når isen lå blank i den store svingen, og så kjørte vi langs veien på toppen i en stor bue omkring de lave blokkene i skogkanten og svingte til slutt av mot én av dem og inn i garasjen i underetasjen der rulledøra sto åpen fordi den var i filler og hadde vært det i flere uker. Nesten helt borte i den andre enden av blokka stoppa jeg bilen og rygga forsiktig inn på plassen der nummeret til leiligheten min var malt med store tall på den rå murveggen, der avtrykkene av forskalingsbordene helt ned til årringene var lette å se, og jentene la hendene over øynene, trakk pusten med skarpe gisp og holdt den godt nede, for det var trangt her og vanskelig å manøvrere, og én gang hadde det gått riktig gæernt. Da ble det mye tull med en nabo som nå heldigvis hadde flytta. Han hadde leiligheten i etasjen over oss, og noen kvelder hørte jeg stereoanlegget hans dundre for fullt og kona hans rope for å få han til å skru ned lyden.

Denne gangen gikk det glatt. Jeg sklei fint på plass med god margin til begge sider, og det var jo bra, siden bilen ikke var min egen, og vi skøyv oss ut av setene, smelte dørene hardt igjen som vi pleide å gjøre for å føle oss rampete, for å få til et ekko som kunne gjalle hele veien ut gjennom den lange garasjen. Så kontrollerte jeg nøye at alt var i forskriftsmessig stand, at alt var låst, at nøkkelen lå i lomma, før vi gikk trappene opp til leiligheten med meg som motvillig sistemann.

Og så kom jeg inn i gangen, i entreen, og helt inn i stua og kjøkkenet, der alt var som det hadde vært i ti år snart, de samme plakatene på veggen, de samme teppene på golvet, de samme jævlige, røde lenestolene, og samtidig ikke i det hele tatt, ikke som det var i begynnelsen, da det var oss to mot røkla, hun og jeg, skulder ved skulder, hånd i hånd, *det er bare du og jeg,* sa vi til hverandre, *bare du og jeg*, sa vi. Men noe hadde skjedd. Ingenting hang sammen lenger, alle ting hadde avstander mellom seg, distanser mellom seg, som satellitter, trukket til og skjøvet fra hverandre i samme sekund, og det skulle stor viljestyrke til for å krysse de avstandene, de distansene, mye mer enn hva jeg hadde til rådighet, mye mer enn hva jeg ville våge å bruke. Ingenting var som det hadde vært inni bilen heller, på vei gjennom tre eller fire kommuner på Romerike, øst i Norge, øst for Oslo. Der hadde jeg bilens kropp tett omkring meg i alle retninger vi kjørte, men her oppe i leiligheten falt ting ut av fokus og fór svirrende til alle kanter. Det var som et virus på balansenerven. Jeg lukka øynene for å få verden i vater, og da hørte jeg døra åpne seg fra badet i gangen og skrittene hennes over golvet. Jeg ville kjent dem igjen hvor som helst i verden på hvilket som helst underlag, hellegang, grusvei, steingolv, parkett. Hun stoppa rett framfor meg. Jeg hørte pusten hennes, men ikke så nær at jeg kjente den mot ansiktet. Hun venta. Jeg venta. Jentene lo av noe morsomt på ett av rommene. Det var noe med pusten hennes. Den var aldri sånn før. Jeg holdt fortsatt øynene igjen, jeg pressa dem sammen. Og så hørte jeg henne sukke.

– Herregud, Arvid, sa hun. – Kan du ikke holde opp med det der. Det er så barnslig.

Men jeg ville ikke åpne øynene. Det var uansett så lett å se. Hun likte meg ikke lenger. Hun ville ikke ha meg.

– Broren din har ringt, sa hun. – Det var visst viktig.

Hun sto litt, og så snudde hun seg og gikk tilbake til badet. Jeg åpna øynene forsiktig og så ryggen hennes forsvinne. Jeg gnei hånda mot brystet helt øverst.

4

Da en av brødrene mine fortalte meg at mora mi hadde reist av gårde til Danmark så fort hun fikk høre hun var sjuk, at de ikke hadde rukket å få tak i henne før hun forsvant, for å snakke alvor med henne, eller for å gi henne de trøstende orda med på veien som de syntes at de burde gi, tok jeg en rask beslutning og en rask telefon, og nøyaktig to dager etter at hun gikk i land, var det jeg som kom ned til den nordjyske kystbyen en tidlig morgen om bord i den gamle og urettferdig utskjelte ferga *Holger Danske*. Jeg hadde sovet for lenge, jeg rakk ikke frokosten i kafeteriaen, det sto ei dame og dunka på døra til lugaren min.

– Vi er i land nå, ropte hun, – vi er i land, du må komme deg ut, ropte hun, og dunka på døra, og jeg lurte et øyeblikk på om det var en av dem jeg var blitt kjent med i baren kvelden før.

Det hadde vært fullt i den lille baren da kvelden før rant sakte ut og ble til fuktig natt, og de fleste var jo menn der, men noen kvinner var det også, om ikke så mange som det ville ha vært i dag, og jeg snakka lenge med flere av dem. Jeg syntes de var pene.

Det var trangt om plassen for den som hadde lyst til å drikke. Vi som hadde veldig lyst, sto kloss inntil hverandre med sigarettene våre vertikalt og forsiktig mellom fingrene på den ene hånda og pilsglassene eller glassene med doble whisky holdt tett imot brystet med den andre, og vi trædde glassene helt langsomt opp langs skjortesnippen og forbi haka for å få i oss de slurkene vi så gjerne ville ha.

Det var en mann der jeg ikke likte. Jeg likte ikke ansiktet hans når han så på meg. Det var som om han visste noe om min person jeg ikke hadde kunnskap om sjøl, men som for han var lett å få øye på, som om jeg sto der naken uten speil med mine utvekster og flekker og ingen kontroll hadde over det han så, og ikke kunne se i øynene hans hva han så i mine. Men det han så, og det han *visste*, fikk han til å føle seg overlegen meg, og på en merkelig måte med full rett. Det føltes sånn. Det kunne jo ikke være sant, jeg hadde aldri sett han før, det var jeg sikker på, han visste ingen ting om mitt liv. Men uansett var blikket hans allvitende og nedlatende hver gang han snudde seg i min retning, og han snudde seg ofte. Det gjorde meg urolig, jeg greide ikke konsentrere meg, og da han én gang trengte seg forbi, på vei til toalettet eller til lugaren sin for å hente noe han kanskje hadde glemt der, dulta han borti skulderen min på en måte jeg syntes var provoserende. Noe av pilsen i det nesten fulle glasset mitt spruta ut over skjorta jeg nylig hadde kjøpt og syntes var uvanlig fin. Jeg var sikker på at han dytta meg med vilje, og det gjorde at jeg følte meg trua. På livet, faktisk, jeg veit ikke hvorfor, men jeg ble redd. Jeg satte pilsglasset fra meg på hjørnet av et bord og gikk derfra.

Først fant jeg veien til dekket for å gjøre hodet mitt klarere, og det var mørkt langs rekka da jeg dytta opp den tunge døra og gikk ut. Over hodet mitt hang livbåter svevende tunge og zeppelineraktige i det bristende lyset fra korridoren jeg forlot, og bak meg smalt døra igjen på en skjebnesvanger måte. Jeg hørte susinga fra sjøen og vinden som peip og dro langs båten på vei gjennom bølgene. De gikk ikke høyt, men de gikk ikke lavt heller, det var november, og det var kaldt. *Holger Danske* krenga mjukt fra den ene sida til den andre i den svarte natta der bare det hvite skummet på bølgetoppene syntes helt nærmest båten og gloa på sigaretten jeg hadde tent. Den smakte ikke godt. Jeg kjente etter om jeg holdt på å bli kvalm, men sjøen hadde ikke større kraft enn det kroppen min kunne håndtere uten å bli dårlig, og jeg kasta sigaretten over rekka, ut i vinden, og den bråblåste mot skroget der det spruta i gnister, og så ble den borte i mørket. Jeg bevegde meg med forsiktige skritt til jeg kjente den kalde veggen mot ryggen og lente meg mot den og ble stående og stirre rett framfor meg til nattsynet kom. Jeg følte meg bedre. Vi var forbi Færder fyr, det var åpent hav på begge sider, og havet, det var som en gammel bekjent, og så slo det meg brått at mannen fra baren kunne finne på å komme ut hit, og hvis han kom ut hit, var jeg ferdig. Han var større enn meg og helt sikkert sterkere og kunne kaste meg over bord hvis det var det han hadde lyst til, og da ville jeg bli borte for alltid, og ingen ville noen gang få vite akkurat hvor. Tanken ble så sterk at jeg var nødt til å gå inn fra dekk igjen, enda jeg mange ganger i livet har stått på den måten og sett ut over havet fra et båtdekk om natta, det er en ro i det jeg til tider har hatt god bruk for.

Med en god del strev fikk jeg opp den tunge døra som vinden med stor kraft holdt fast imot karmen, og så gikk jeg bort korridoren på innsida og ned trappene til lugaren min.

Jeg hadde så vidt satt meg ned på senga for å ta av meg skoa, da det banka hardt på døra. Jeg ble stiv av skrekk, som det så dekkende heter, og jeg reiste meg sakte opp. Jeg visste ikke hva jeg skulle gjøre. Jeg ble stående og lytte, og så banka det igjen med en skarp, tørr lyd, og da visste jeg nøyaktig hva jeg skulle gjøre. Jeg knytta høyreneven hardt og gikk de få skrittene fort bort til døra, reiv den opp med et smell og bare slo til. Det var halvmørkt i korridoren, og jeg så ikke ansiktet hans, jeg så ikke noenting egentlig, men traff han likevel mot kjeven rett under øret, jeg kjente det i hånda, og han falt mot veggen på den andre sida av korridoren med et brak. Mer av sjokket kanskje, enn av krafta i slaget mitt. Men da jeg slengte døra igjen og fikk låsen vridd om i en fart, fór en sviende smerte gjennom knokene. Jeg ble stående nesten uten å puste og lytte ei stund, men jeg hørte ingenting fra ute i korridoren, og jeg sto der litt lenger, og fortsatt var det stille, og da la jeg meg i senga og ble liggende og lytte til jeg ikke orka det lenger, og så sovna jeg, og dagen etter ble jeg vekt av ei dame som banka og banka på døra mi og ropte:

– Vi er i land, vi er i land! Du må komme deg ut! Og det var som om det som hadde skjedd for bare noen timer siden, hadde foregått i en drøm jeg allerede var i ferd med å glemme. Men hånda mi var fortsatt øm, og den var vanskelig å åpne helt og lukke helt.

Nå gikk jeg småskjelvende gjennom vinden over havneplassen. Jeg var litt kvalm. Jeg var litt svimmel. Jeg hadde den gamle losjakka på meg og en bag som likna en sjømannssekk over skulderen og fortsatte videre opp langs skeive Lodsgade med så mange minner, forbi Bar Sinatra som befant seg der hvor Færgekroen hadde vært da jeg var gutt og lenge etter det.

Jeg ble stående utafor vinduet til den lille vin- og tobakksbutikken rett ved det som tidligere var Colosseum kino i den lange Danmarksgade. Jeg var ofte på Colosseum som barn, mora mi og jeg så *Mytteriet på Bounty* der, med Marlon Brando i hovedrollen som Fletcher Christian. Hun hadde stor sans for Brando, den mutte spillestilen hans, uformulert, men tydelig, og unge Paul Newman likte hun også godt, særlig i *The Hustler*, de hadde begge noe ekstra, noe eksplosivt, sa hun, mens James Dean var søt nok. Hun likte egentlig ikke James Dean, han var for sytete, han var umoden, han hadde ingen ryggrad, mente hun, og ville fort bli glemt. Montgomery Clift var uansett den største, i *Herfra til evigheten*, i *The Misfits*; sårheten hans, øynene hans, verdigheten hans.

Vin- og tobakksbutikken var ikke åpen ennå, og jeg hadde ikke noe spesielt behov for varene de hadde der inne i hyllene, ikke etter den natta på båten, men jeg hadde kasta et blikk inn og stoppa på grunn av tre flasker som sto til utstilling i vinduet, tre forskjellige flasker som alle inneholdt den franske drikken calvados, av tre forskjellige kvaliteter da, kunne en tenke seg, og jeg kom plutselig på at jeg aldri hadde smakt calvados. Jeg fant ut at jeg kunne kjøpe den midterste av de tre flaskene, som sikkert var god nok for meg, hvis jeg *gikk* ut til sommerhuset i stedet for å ta drosje som opprinnelig var planen. Jeg hadde jo bil sjøl, men den sto i Norge på et verksted med en ødelagt drivaksel og var kanskje reparert for lenge siden, men jeg hadde ikke somla meg til å få henta den ennå. Derfor gikk jeg, eller tok jeg bussen mellom alle mulige steder hjemme. Det passa meg egentlig bra, fordi jeg kunne sove på bussen, og det gjorde jeg også. Mye, faktisk. Jeg sov så ofte jeg kunne. Det var ikke noe jeg heller ville. Men nå var jeg her, og det jeg tok meg råd til, var den ene av de tre flaskene med calvados, og da måtte jeg altså gå. Det var sånn jeg var. Jeg hadde ikke lyst til å gå, jeg var sliten, jeg kunne ikke huske sist jeg var like sliten, jeg var så sliten at det nesten var litt deilig, og jeg telte på knappene og venta de ti minuttene som skulle til før butikken åpna dørene og gikk så inn og ba om den flaska som sto i midten og fikk den i en brun papirpose. Litt som på film, tenkte jeg, og det gjorde jeg fordi jeg er norsk, fordi vi aldri får brennevinsflasker i brune papirposer i Norge, og jeg likte den filmfølelsen. Jeg kunne være en mann i en film. Det gikk nok lettere å gå den lange veien ut, hvis jeg var en mann i en film.

Vi hadde snakka grundig om calvados mange år før, mora mi og jeg, da jeg på oppfordring fra henne leste *Triumfbuen* av Erich Maria Remarque.

– Det er ei god bok, sa hun, – litt sentimental kanskje, men bra for deg i din alder, sa hun, og jeg var under tjue fortsatt og ble ikke engang fornærma, for jeg visste ikke helt hva sentimental var, ikke på ordentlig, og forsto ikke at det kanskje kunne vært litt nedlatende sagt, at noe var sentimentalt og samtidig passa for en gutt på under tjue år. Men det var slett ikke sånn ment, ikke fra henne om meg, bare en konstatering av hva hun trudde jeg ville ha utbytte av å lese, og det hadde jeg også, av den boka, den gikk rett i fletta, ung som jeg var. Vi sa til hverandre, mora mi og jeg, at jamen skulle det være godt en gang å få smake den drikken, en drikk som for meg ble til sjølve trylledrikken, en gyllen substans som fløyt gjennom hele romanen Remarque hadde skrevet og videre utover i flere strømmer og fikk en merkelig stor betydning, og det nettopp fordi den var uoppnåelig, sjølsagt, fordi de bare hadde ett merke på polet, og det var bortafor all rekkevidde i pris. Men i *Triumfbuen* bestilte de bestandig calvados, vennene Boris og Ravic, som var flyktninger fra henholdsvis Stalin og Hitler, i Paris, i åra rett før den tyske armeens innmarsj, og det var dommedag på alle kanter da, både foran og bak i tid, og samtalene deres om livet fikk den samme bismaken som det gir å synge salmen som sier: *Takk for minner, takk for håp, takk for smertens bitre dåp*, noe jeg faktisk gjorde i en begravelse for ikke så lenge siden. Sang den salmen.

Og så gikk jeg ut langs lange Danmarksgade i halvlyset, i halvmørket, med flaska under armen så den skulle synes i det brune papiret sitt, og jeg var en mann som nettopp hadde kjøpt denne flaska med fransk brennevin helt tidlig på morgenen idet butikkene åpna dørene sine, en mann som bare finnes på film og i visse bøker, helst noe eldre bøker skrevet omkring den annen verdenskrig eller litt før, hvor realitetene i handlinga er knytta til ei tid som er borte, og samtidig gikk jeg der akkurat da, feilplassert i tid og rom.

Helt ute ved tomta vår kom jeg over plenen forbi uthuset under de tunge mørke furugreinene med bagen over skulderen og flaska under armen, men mora mi var ikke inne i sommerhuset sjøl om døra sto ulåst. Hun låste aldri, ikke mens hun var der, ikke før hun reiste hjem igjen til Norge, og da stengte hun jo alt sammen, vann og strøm, det var faren min som låste. Han låste alt mulig hele tida, kofferter, sykler, dører, og etterpå leita han som faen etter nøkkelen mens vi andre sto og venta og trippa og kanskje frøys rompa av oss hvis det var et sted vi skulle inn, og tenkte, typisk han, altså, typisk han. En kan aldri være nok forsiktig, sa han da, med en irritert rødme i ansiktet.

Det lå ei bok på bordet, det var ikke Günter Grass denne gangen, men Somerset Maugham, på engelsk, en gammel penguinutgave av *The Razor's Edge*, om en amerikansk pilot som reiste til India etter første verdenskrig og gjennomgikk en åndelig forvandling der, og den boka hadde alltid irritert meg, det er jo ei hippiebok, tenkte jeg, har i hvert fall blitt det, hva faen leser hun den for nå. Jeg satte bagen fra meg og gikk ut igjen med flaska i hånda og ned furualleen og bort langs grusveien, til enden der hvor nyperosene sto tett i svingen, og like etter tok jeg av fra veien og ned stien gjennom marehalmen til stranda. Det blåste ganske bra, og jeg så henne med én gang. Hun satt på en lav klitte med den varme kåpa tett rundt kroppen og kraven heist opp i nakken, men uten noe på hodet. De mørke krøllene piska fram og tilbake i vinden, hun er ikke blitt grå ennå, tenkte jeg, ikke mye i hvert fall, enda hun er over seksti, og hun satt der aleine med hodet nesten unaturlig høyt heva som hun alltid hadde holdt det, på en måte som noen syntes var arrogant. Men egentlig var hun bare åndsfraværende og skua drømmende ut over havet og tenkte antakelig på noe helt annet enn det hun hadde foran seg, mens hun røyka en sigarett; en Cooly eller en Salem, eller heller det billige danske merket Look.

Jeg er sikker på at hun hørte meg komme, men hun snudde seg ikke. Da jeg var nesten framme, sa jeg lavt:

– Hei.

Hun snudde seg ikke nå heller, sa bare: – Ikke begynn å snakke med en gang.

– Det er meg, sa jeg.

– Jeg veit hvem det er, sa hun. – Jeg hørte tankene dine skramle langt oppe i veien. Er du blakk?

Faen heller, jeg visste jo hun var sjuk, at hun kanskje kunne dø, det var derfor jeg var der, det var derfor jeg hadde reist etter henne, det mente jeg bestemt, og likevel sa jeg:

– Mamma. Jeg skal skilles.

Og det er mulig jeg så det da, på ryggen hennes, at hun tok seg sammen og møysommelig flytta vekta fra ett punkt til et annet inne i kroppen et sted, fra der *hun* var, til der hun tenkte kanskje *jeg* var.

– Kom og sett deg, da, sa hun. Og hun flytta seg til side for liksom å gi meg plass, men det var plass nok i massevis, og hun klappa på det pistrete gresset og sa i en nesten utålmodig tone:

– Kom så, og jeg gikk helt fram og satte meg ved sida av henne på den lille hylla. Jeg tok flaska opp av den brune papirposen og plasserte den mellom føttene mine, vrei den ned i den hvite, finkorna sanda så den ikke skulle velte, men jeg trur ikke hun la merke til det. Hun så ikke på meg i det hele tatt, og det gjorde meg usikker.

5

Mange år tidligere, på begynnelsen av syttitallet, gikk jeg på en skole ved Dælenenga i Oslo, på hjørnet av Dælenenggata og Gøteborggata. For å komme meg dit hadde jeg en nesten latterlig kort strekning å gå hver morgen, for jeg bodde rett borti veien for skolen, ved Carl Berners plass. Jeg hadde nettopp fylt tjue, det var det første stedet jeg bodde som ikke var hjemme i Selvaagleiligheten på Veitvet, hvor jeg vokste opp på slutten av 50-tallet og på 60-tallet, og jeg hadde flytta ut med en gang jeg fikk studielån. Det var det du skulle da, det var det du gjorde enten du ville eller ikke, *hvis du fikk lov til å gå videre*, som det fortsatt het den gangen, i gata vår, og i mange andre gater.

Det første jeg foretok meg på det nye stedet var å dra ned til sentrum for å kjøpe meg et stereoanlegg for noen av penga, en TR 200 Tandberg forsterker, en Lenco platespiller og et par 20 liters høyttalere av et merke jeg ikke husker navnet på nå, men lyden var suveren, og det hele var ikke mer originalt enn at det var identisk med stereoanlegget den eldste broren min hadde komponert og kjøpt for *sitt* studielån. Det var en periode der, hvor jeg herma ganske mye etter han. Ikke i alt, riktignok. Jeg var kommunist på den tida, maoist, det var ikke han, og han var så god til å få til alt mulig med hendene sine, til å snekre, til å tegne og male, at det ikke engang falt meg inn å prøve å gjøre han det etter. I stedet leste jeg bøker. Mange bøker, og det så nok såpass intenst og lokkende ut, den måten jeg ble borte i de bøkene på, at han noen ganger prøvde å herme etter *meg*, og det gjorde meg glad, kan jeg huske.

Hvis jeg gikk fra denne skolen min øverst på hjørnet og ned Gøteborggata, og det gjorde jeg ofte, kom jeg snart til Freia Chokoladefabrik. Der jobba mora mi. Hun sto ved båndet på Konfekten åtte timer daglig, fem dager i uka, pluss overtid, og hadde gjort det i mange år. Over hele Dælenenga og Rodeløkka kunne du kjenne duften av sjokolade, av kakao, særlig tidlig på morgenen når lufta var skarp og kanskje litt fuktig, og det var bare de gangene jeg hadde vært ute seint kvelden før og fått i meg for mange halvlitere, at jeg syntes duften var ubehagelig. Ellers hadde den en trygghet over seg som minte meg om visse dager i barndommen, visse ansikter knytta til situasjoner og sammenkomster med dekka bord og kaffeduker og sola skrått inn gjennom nyvaska glinsende hvite persienner og så *jeg*, midt i det hele med en følelse av at alt omkring meg plutselig var så fint og så riktig. Når jeg noen ganger, nettopp i de seine kveldene aleine i den lille leiligheten ved Carl Berners plass og Dælenenga, tillot den følelsen å sige opp fra fortida for fullt alvor, kunne jeg plutselig lengte meg tilbake til barndommen med en sånn tennergnissende heftighet at jeg ble skremt av meg sjøl.

Når skolen var slutt for dagen, eller jeg ikke gadd sitte i kantina lenger, hendte det ofte at jeg gikk ned

Gøteborggata og videre rundt et kvartal til høyre mot Dælenenga stadion hvor personalporten til Freia befant seg, og jeg stoppa og lente meg mot den gamle teglsteinsmuren de hadde der, og den lukta godt, syntes jeg, den lukta natur, den lukta steder jeg hadde vært med faren min, i Østmarka, Lillomarka, og jeg glante opp på Arnold Haukelands digre, blanke og sakte roterende metallskulptur som sto på en høy sokkel nær porten. Den var bare et par, tre år gammel på det tidspunktet og skulle visst forestille ei vindharpe, og lyder skulle komme fra den når det blåste, som musikk, hadde noen sagt, men det kom ingen lyder som jeg kunne høre. Jeg røyka min hjemmerulla Petterøe 3-sigarett og hadde all tid i verden på en måte jeg ikke har hatt det noen gang seinere. Jeg sto i solskinnet og venta på mora mi som snart ville komme fra den store bygninga og gå langs gangveien til porten når skiftet hennes var ferdig. Jeg kunne se henne på god avstand når hun kom ut av døra, og hver gang hun gjorde det, tenkte jeg på diktet til Rudolf Nilsen som begynner:

Jeg hadde sett deg lenge, der du kom,
for alltid vet jeg det, når du er nær –,

som vel strengt tatt var et dikt til kjæresten hans en gang på tjuetallet eller deromkring. Men jeg tenkte på det fordi jeg var der jeg var, i skjæringa mellom Dælenenga og Rodeløkka og Grünerløkka på østkanten av indre Oslo by, som jo var Rudolf Nilsens revir, rett utafor en fabrikk som mange av de jentene han kjente sikkert jobba i, og om det nå var mora mi som kom der borte på vei mot porten og ikke en jeg var forlova med, så hadde jeg vel *henne* kjær, som det står i diktet, det føltes sånn.

Jeg retta meg opp, lot muren bli stående på egen hånd og ropte:

– Freia sjokolade!

– Vil ikke ha det, svarte hun.

– Freia karameller?

– Ikke det heller, sa hun og lo og rødma fordi hun så at vakta hørte oss og lo av oss. – Nå? Står du der, sa hun lavere da hun var framme ved porten og vakta hadde sluppet henne ut. – Er du blakk, sa hun.

Det var jeg jo. Det var jeg alltid, men jeg sa:

– Hva? Insinuerer du at jeg skulle stå her og vente på mora mi som kommer sliten ut fra det harde dagskiftet bare fordi jeg tilfeldigvis er litt blakk og dermed gå ut ifra at hun ville slenge til meg en slant. Ærlig talt, mamma.

– Hvor mye trenger du, da, sa hun.

Jeg trakk på skuldrene.

– Se her, sa hun og stakk hånda ned i den lille dameveska si, henta opp den brunslitte pungen, som hun åpna med en fordekt bevegelse, innøvd og praktisert over lang tid for å hindre ethvert innsyn fra en nysgjerrig ektemann som ikke lenger hadde den økonomiske makta i familien, og hun lirka fort ut en hundrelapp hun hadde bretta sammen flere ganger til ei smal flis som hun så pressa inn i den tilsynelatende uvillige hånda mi.

– Ta denne, sa hun.

Jeg så jo med en gang hva slags seddel det var. – Nei faen, mamma, hundre kroner. Det er for mye.

Og det *var* faktisk mye. Til sammenlikning var husleia mi 170 kroner i måneden.

– Og så snakker vi ikke mer om det, sa hun. – Ikke til faren din heller.

– Han ser jeg jo aldri, sa jeg.

– Det er vel ikke nettopp hans skyld, sa mora mi da, og det hadde hun rett i, og det var greit, jeg skulle ikke si noe til han, hvorfor skulle jeg det? Og det var heller ingen tvil om at jeg hadde god bruk for den hundrelappen. Men grunnen til at jeg sto der den dagen, var ikke bare den at jeg var blakk, egentlig var det ikke det i det hele tatt, å være blakk var en måte å leve på, jeg la knapt merke til det lenger. Jeg sto der fordi jeg hadde noe å fortelle henne, noe hun ikke visste om og ikke kunne ha gjetta seg til.

– Skal vi ta en kaffe før du drar hjem, sa jeg, – på Bergersens? Og det var et såpass uvanlig forslag at hun sa ja uten å tenke seg om. Det vi vanligvis gjorde, var å gå sammen opp Gøteborggata, bort Dælenenggata til Carl Berners plass, forbi Ringen kino, der jeg som elleveåring så *Zorros legion* i to deler, én film hver lørdag med ei utrulig lang uke imellom, og så gikk vi over krysset og videre et stykke opp Grenseveien til T-banestasjonen mens vi snakka om bøker vi hadde lest, om nye filmer vi hadde sett og gamle filmer vi hadde sett om igjen, som for eksempel *Saturday Night and Sunday Morning* med unge Albert Finney i hovedrollen, som hadde gått på TV akkurat den uka. Mora mi hadde stor sans for han også, Albert Finney, der han sto ved dreiemaskinen i sykkelfabrikken med opprulla skjorteermer helt i begynnelsen av filmen og steinhardt deklamerte hva han syntes om de eldre arbeiderne og hvordan de satt fast i gjørma fra åra før Krigen, og alt hva han i hvert fall *ikke* var villig til å bruke livet sitt til, at han faen meg aldri kom til å bli holdt nede som *de* ble holdt nede:

– *I'd like to see anybody try to grind* me *down, that'll be the day. What* I'm *out for is to have a good time, all the rest is propaganda!* sa han mellom stramme lepper, og det var jo noe barnslig sludder, det visste mora mi bedre enn noen. Men hun vifta med den tente sigaretten sin og gjentok etter Albert Finney i fabrikkhallen: – *All the rest is propaganda!* sa hun temmelig høyt midt på Carl Berners plass med smale øyne, rullende Nottinghamshire-r'er og en plutselig mørk latter som gjorde meg betenkt, enda jeg også syntes det var tøft sagt. Så bytta vi emne og begynte i stedet å snakke om formannen på Konfekten som tok seg friheter overfor de kvinnelige arbeiderne, og det var jo nesten ikke annet enn kvinnelige arbeidere på Freia, i hvert fall ikke på Konfekten. Hun orka han ikke lenger, den sleske jævelen, og planla nå en motaksjon, og så kunne hun og jeg heller diskutere hvordan den motaksjonen eventuelt skulle gjennomføres.

Nå gikk vi opp til konditoriet Bergersens som ikke het Bergersens egentlig, jeg bare kalte det Bergersens, fordi en mann som het Bergersen satt på en stol i hjørnet ved vinduet hver bidige dag og leste den samme avisa. Der sitter Bergersen, sa personalet. Konditoriet lå i den korte gata som løp diagonalt bak Ringen kino og var en forlengelse av Tromsøgata egentlig, og het det også, men her svingte opp som en blindtarm, et nesten anonymt sted.

Der inne bestilte vi to ganger kaffe og napoleonskake og tok av oss jakkene for å henge dem på stumtjeneren ved inngangen, og da var jeg allerede i gang med å forklare henne hva som var i ferd med å skje i livet mitt nå, at jeg hadde tenkt å slutte på denne skolen på hjørnet av Dælenenggata og Gøteborggata hvor jeg hadde vært student i to år med studielån og stereo-anlegg og seine kvelder med halvlitere og alt som hørte til, og det fordi det kommunistiske partiet jeg var med-lem av hadde en kampanje gående for å få flest mulig av medlemmene sine til å bli industriarbeidere. Ikke at det var tvang på noen måte, men jeg hadde hatt en mann fra ledelsen hjemme i den lille leiligheten hvor jeg bodde, og han snakka lenge og innstendig med meg og sa det var nok sannsynlig at den nye store Krigen snart var over oss, gjerne utpå nyåret allerede, sånn som Sovjet rusta opp, det hadde jeg vel forstått etter årets sommerleir på Håøya. Og da var det jo ingen vits i å være der hvor jeg var nå, da ville vi vel alle være sammen med gutta, der *de* var. Det var uttrykket han brukte, og med *gutta* mente han industriarbeiderne, og han pekte megetsigende ut av vinduet mot verden, men egentlig i feil retning, for han pekte ikke dit hvor mora mi jobba bare noen få kvartaler lenger bort som industriarbeider og var så å si én av gutta der, sjøl om de fleste var kvinner i den fabrikken, og han pekte hel-ler ikke dit hvor faren min jobba som industriarbeider og var en av gutta bare et par stasjoner videre med T-banen i motsatt retning. Han pekte ned mot Munch-museet i enden av Finnmarkgata. Jeg gikk ofte til Munchmuseet på søndagene for enda en gang å stå foran de fargerike, mjuke og samtidig litt skumle bil-dene jeg likte så godt, og jeg ville så ugjerne skuffe noen, jeg har hatt det sånn bestandig. Så jeg skjønte hvilken vei det bar.

Bare ei uke etter den samtalen, var jeg med på et møte på denne skolen min, der de deltok som delte synspunktene jeg hadde på verden og politikken, og det var *jeg* som holdt innledning om hvor viktig det var at partiet grodde faste røtter i arbeiderklassen i ei tid som denne. Det var ei ganske god innledning, men jeg kunne ikke fri meg fra følelsen av at den arbeiderklassen jeg snakka om i innledninga ikke var helt den samme som den mora og faren min var en del av til daglig. De minte om hverandre, det var sant, men hadde forskjellige egenskaper og befant seg strengt tatt i forskjellige verdener. Det gjorde meg litt ukomfortabel, men det var det bare jeg som la merke til, for da jeg var ferdig, klappa alle meg på skulderen og sa det var ei jævlig fin innledning og hvor interessant det hadde vært å høre på, og jeg veit ikke hvilke hus og gater de vokste opp i, de som var på det møtet, men da det var slutt, var jeg den eneste som erklærte at jeg skulle si opp plassen min på skolen. Og sånn ble det. Jeg hadde hatt det på den måten i speider'n også. Jeg var den eneste i Rådyrpatruljen som tok speiderløftet på alvor. På mange måter var det likt.

Alt dette prøvde jeg å fortelle mora mi. Jeg hadde hengt fra meg jakka på stumtjeneren, jeg så at dama bak disken var på vei med kaffen vår og napoleonskakene på et brett, og idet jeg snudde meg på stolen for å sitte ansikt til ansikt med mora mi i denne stunden vi hadde for oss sjøl og munnen min fortsatt rant over av ord, så jeg plutselig den flate hånda hennes komme farende over bordet som en skygge, og den traff meg mot kinnet, og smellet som hørtes var den høyeste lyden i lokalet. På utsida av vinduet sto en mann ved en varebil han lessa blomster av i store esker til butikken vegg i vegg, det var sol på toppen av mursteinsgården på den andre sida av gata. To jenter kom syklende på vei fra skolen med ransler på bagasjebrettet, de var sikkert ikke mer enn ti år og hadde tynne kjoler, det så litt kaldt ut, og langt inni meg kjente jeg den gamle lengselen etter ei søster, og hadde jeg hatt ei søster ville livet mitt vært et annet liv og jeg ikke den som satt her akkurat nå, i konditoriet Bergersens på denne måten. Men typisk nok hadde jeg bare brødre, tre stykker til og med, og det svei sånn i kinnet, jeg kjente det ble rødt og varmt, og jeg visste ikke hva jeg skulle gjøre eller si. Jeg stirra ned i bordplata, jeg stirra mot disken, fra øyenkroken så jeg mora mi reise seg fra stolen. Det var helt stille i lokalet, bare duren fra softismaskinen kunne høres, og dama med brettet var blitt stående stiv midt på golvet halvveis over til bordet vårt før hun kom helt bort, satte brettet forsiktig ned og forsvant igjen, og så kom jeg til å huske på hundrelappen. Jeg stakk hånda i lomma og trakk opp den hardt sammenbretta seddelen.

– Her, sa jeg, – du vil sikkert ha igjen den nå. Jeg kjente hvordan det andre kinnet også ble rødt og varmt. Jeg så opp. Hun hadde kåpa over armen, hun var bleik i ansiktet og blank i øynene.

– Din idiot, sa hun. Og så gikk hun.

Jeg husker ikke hvordan jeg kom meg ut av det konditoriet, om jeg spiste napoleonskaka mi først eller til og med spiste begge to, om jeg betalte med hundrelappen, og jeg husker heller ikke hva jeg gjorde de nærmeste dagene. Men nå satt jeg ved sida av mora mi på en lav klitte ved kysten helt nordøst i Danmark en morgen tidlig i november 1989 og huska alt sammen. Rett ut over vannet lå ei øy som het Hirsholmen. På den øya sto et fyrtårn jeg hadde sett hver eneste sommer i hele mitt liv, som mora mi også hadde sett i hele *sitt* liv, og jeg lurte på om det gjorde noe med måten en tenkte på, at en nærmest alltid hadde et fyrtårn i øyenkroken.

Hun tok de siste trekkene av sigaretten, og stumpa sneipen i den løse sanda foran seg med en langsom, litt tung bevegelse og snudde seg mot meg.

– Hva har du der, sa hun og pekte så vidt mot flaska som sto halvt begravd mellom beina mine.

– Calvados, sa jeg.

– Calvados, sa hun, og så nikka hun gjenkjennende, men liksom søvnig òg. – *Triumfbuen* da, vel?

– Ja, sa jeg. – *Triumfbuen*.

Hun nikka igjen, fortsatt litt fraværende, litt tung:
– Det er ei fin bok det, sa hun. – En smule sentimental kanskje. Du bør nok være under tjue år når du leser den for første gang.

– Du bør nok det, sa jeg.

Hun trudde hun visste hvem jeg var, men det gjorde hun ikke. Ikke på stranda den dagen i 1989, ikke i Bergersens konditori nesten femten år før, ikke før jeg ble kommunist heller. Hun fulgte ikke med, hun vendte blikket mot andre ting. Hun så meg komme inn og visste ikke hvor jeg hadde vært, hun så meg gå ut og visste ikke hvor jeg ble av; hvor drivende løst jeg var, hvor seksten år jeg var uten henne, hvor sytten år, hvor atten, hvor fortvila vandrende opp og ned langs Trondhjemsveien jeg var, langs Europavei 6 mellom Veitvet og Grorud. Opp og ned i begge retninger, forbi kvinnefengselet først som lå tungt til høyre over jordet som et skyggefullt hemmelighetsfullt utenkelig vakuum bak tjukke steinmurer, før de lave blokkene på Kaldbakken dukka opp på høyre side og de høye blokkene på Rødtvet til venstre, i lia opp mot skogen som var så djup og stor at du kunne forsvinne i den som ingenting og bli borte for alltid, hvis det var det du ville.

Og det var høsten når jeg gikk, det var tidlig november, bestandig november, det var seine kvelden med yrende regn og gatelyktene tikkende forbi over hodet mitt høyt oppe fordi jeg gikk så fort, og de lyste liksom av og på, de lyktene, av og på, uten noen gang å slutte, og kunne plutselig knitre skarpt i den våte lufta og

54

kaste blålyn omkring seg, mens orda mine roterte i hjernen, og det knitra i tankene som elektrisk strøm, og kan hende så det blått ut som lys kan gjøre, hvis en skar et snitt gjennom hjernen min for å studere hva som skjedde på nært hold.

På Grorud lå gymnaset mitt nede i dalen ved Østre Aker vei, ved Grorud jernbanestasjon og Stjerneblokkene, som de kaltes, hvor jernbanearbeiderne bodde; lokførerne, skiftekonduktørene, mekanikerne, men langt før det svingte jeg til høyre i krysset fra Trondhjemsveien, der fotballklubben befant seg, og gressbanen, og videre forbi kirka og gravlunden og etter det i sikksakk alle bakkene ned og til slutt en omvei forbi Heimdal, det røde huset der de kristne ungdommene holdt til på kvelder som dette, der jeg flere ganger hadde prøvd å slippe inn gjennom nåløyet, men kontant var blitt avvist av meg sjøl midt i trappa på grunn av mi manglende tru. Og det lyste fra vinduene hver eneste gang jeg passerte, jeg så unge kropper bevege seg under lampene der inne, guttekropper som min egen, men særlig jenter med jentekropper som var kristne fra topp til tå, som fikk til å være kristne, med former og linjer langs hoftene og runde bryster under blusene og en glatt kristen hud som skinte matt og gyllent med en naturlighet som ikke var blitt meg til del. Jeg følte bare flauhet når jeg tenkte på hva det var de hadde gjort; lagt livet sitt i hendene til en annen enn seg sjøl, i hendene til det de mente var en høyere makt, som ga fra seg et strålende lys som de bada sine sjeler i, og de sang om det lyset uten blygsel og pinlighet med blikket vendt oppad og lykkelige smil om munnen. Og de hadde det så fint, de løp omkring og lo høyt og var beskytta av sin kristendom uansett hva de fant på.

Men jeg stoppa ikke lenger på trappa eller ute foran vinduene for å kikke inn, jeg var forbi det stadiet nå, jeg lengta ikke inn dit lenger, jeg la livet mitt i mine egne hender. Men det var ikke lett å være aleine, og jeg orka det egentlig ikke.

Jeg fortsatte rundt svingen og videre ned mot skolebygningene som lå mørke nå i høstkvelden og så ukjente ut og var fremmede på en nesten truende måte. Da jeg var helt framme, gikk jeg over den tomme plassen, og støvlene mine slo ekko tilbake fra veggene på hver side, og da kjente jeg plutselig at mora mi var der. Jeg tuller ikke, hun var der helt tydelig, og hun så på meg tvers igjennom det våte mørket i skolegården til Groruddalen gymnas, der vinduene på hver side var tømt for liv på denne tida av døgnet og ingen lente seg ut fra annen etasje og ropte til meg noe fint, noe inkluderende jeg hadde lengta etter å høre, og jeg visste hva hun tenkte: Er det nok *to* i den gutten, tenkte hun, vil han greie seg aleine, eller er han for lett? Jeg var sikker på at hun mente det, at jeg var for lett, at det var noe med min person som gjorde henne skeptisk, at jeg hadde en brist i karakteren, en sprekk i grunnmuren bare hun visste om, jeg var kommet for lett til det, var hva hun mente, det var ikke sånn livet var, sa hun, det var ikke sånn livet skulle være heller.

7

Da vi kom opp til sommerhuset, var vi begge litt frosne. Jeg satte flaska på bordet i stua og gikk bort til Jøtul-ovnen som faren min hadde kjøpt på fabrikkutsalg og sendt ned hit hvor pipa sto ferdigmurt, og så kunne mora og faren min fyre av hjertens lyst og på den måten holde til i det som egentlig var et sommerhus, til andre tider av året enn de varme månedene.

Det var ved i dunken, jeg satte meg på kne og fikk lagt inn en luftig komposisjon, og med nok av flis fikk jeg fyr med en gang, når bare trekken var riktig. Det var en fin ovn, varmen begynte å spre seg i rommet så fort flammene tok tak bak støpejernet, og det gjorde meg umiddelbart søvnig, da jeg kjente den varmen mot ansiktet. Jeg lukka øynene.

– Jeg skal skilles, sa jeg.

– Du sa det, ja, sa hun. – Ikke vet jeg hvorfor. Hvor-for du skal skilles. Hun var bak meg et sted. I kjøk-kenkroken kanskje. Jeg stirra inn i ovnen. Det brant virkelig fint der nå.

– Det går jo ikke lenger, sa jeg og hørte at det hørtes ut som det var min idé, at det var min konklusjon, men det var det ikke.

– Det er vel hun som vil skilles, da, sa mora mi.

– Hvorfor sier du det?

– Jeg kjenner deg, sa hun.

– Du kjenner ikke meg, sa jeg, og da gadd hun ikke engang svare. – Du kunne vært skilt sjøl, du, sa jeg.

– Så, det mener du. Men det er jeg altså ikke.

– Hvis du kjenner meg så godt, hvorfor veit du ikke hvorfor jeg skal skilles da?

– Åh, Arvid, sa hun, – la det ligge.

Jeg åpna øynene. Jeg satt fortsatt på kne foran ovnen. Jeg reiste meg sakte og snudde meg og så på henne.

– Jeg trur jeg må legge meg litt, sa jeg. – En halv time eller noe, om du syns det er i orden?

– Det er helt i orden, sa mora mi. Hun hadde satt seg ved bordet og tent en ny sigarett, og stemmen hennes lød merkelig dempa, flat nesten, som fra bak en vegg, og da gikk jeg ikke inn i et av de to små soverommene som jeg ellers ville gjort for å legge meg der, men la meg heller ned på den gamle sovesofaen midt i stua, for jeg ville ikke være aleine når jeg sov, og jeg ville ikke at hun skulle være uten meg når hun var våken.

Til å begynne med duva den uoppredde sovesofaen opp og ned i rommet som båten hadde gjort bare noen få timer før, og det gjorde meg litt kvalm, men så vente jeg meg til det, og etter hvert var det bare deilig. Det lukta sommer og sekstitall av det grove sofatrekket, jeg hørte mora mi bla i ei bok der hun satt bak meg ved bordet, The Razor's Edge da, antakelig. Og så hørte jeg den lille lyden fra lighteren da hun tente sigaretten igjen, og jeg slapp taket og falt fritt og sovna før jeg traff bunnen.

*

Før jeg var helt våken visste jeg allerede at jeg ikke var i barndomshjemmet mitt og heller ikke i blokkleiligheten hvor jeg bodde i en drabantby jeg kalte Ørneredet, at jeg ikke lå i senga hvor jeg pleide å sove og våkne og hadde ligget om natta og stirra ut i mørket i temmelig nøyaktig ti år, men at jeg befant meg i dette sommerhuset som hadde vært en så viktig del av livet mitt. Denne vesle firkanta plassen hadde redda meg fra Hudøy gjentatte ganger da jeg var skolegutt, fra feriekolonien langt ute i Oslofjorden dit de ble sendt som ikke hadde andre steder å dra om sommeren, fordi foreldrene måtte jobbe begge to eller ikke hadde penger til å bevege seg noen steder i det hele tatt eller ikke for annet enn å få sol nok i ansiktet og vind i håret og salt sjø mot kroppen. Det var den viktigste kuren for alt det som kunne feile et barn på sekstitallet, men jeg visste allerede den gangen at jeg ikke ville tåle det kollektive presset, i sovesalen, i spisesalen, ved morgengymnastikken, at jeg ville be som de andre ba, på kne foran senga om kvelden, hvis det var bønn det skulle være, eller hva som helst annet, det de andre gjorde, ville jeg også gjøre, for jeg hadde ikke styrke nok til å stå aleine i mengden med det som var mitt av angst og uavhengighet.

Idet jeg steig opp gjennom lagene med full kunnskap om hvor jeg var, hørte jeg stemmer, jeg hørte mora mi sin stemme og en djup mannsstemme jeg kjente godt, og det fordi han som eide den aldri var i stand til å holde et lavt volum samme hvor mye han forsøkte. Til det hadde den stemmen en fylde som uansett hvilket rom den fikk utfolde seg i, fikk veggene, ja møblene til å vibrere, og det vibrerte i magen der jeg lå på sofaen.

Men de prøvde virkelig å være stille, så jeg ikke skulle våkne, og jeg rørte meg ikke og lå med nesa rett ned i sofatrekket, og hendene hadde jeg folda over nakken. Jeg våkna ofte i den stillinga på den tida, som om jeg hadde tatt dekning, eller et våpen var retta mot bakhodet mitt, likt et innslag i Dagsrevyen fra Afrika, fra Kongo eller Angola, eller som i krigsfilmer jeg hadde sett, der fangene som var tatt, lå side ved side på akkurat den måten, med ansiktene i grusen, støv i neseborene, strippa for verdighet, den brennende sola og de brennende, tørre leppene, de allierte soldatenes hvite smil og hvite sigaretter.

Jeg hørte mora mi si:

– Det er jo helt nødvendig, det han gjør. Det kunne ikke fortsette på den gamle måten, det var ikke til å holde ut. Men mange er imot ham, armeen er imot ham, det henger i en tynn tråd alt sammen. Jeg vet ikke hva som vil skje nå. Og så sa hun: – Jeg håper for fader jeg får leve lenge nok til å se hvordan det hele går, og hun begynte å gråte, og så stoppa hun brått og var forbanna i stedet. Det hørte jeg på hvordan hun tente sigaretten sin, hvordan hun ikke fikk det til på de første, hissige forsøkene med lighteren, og mannsstemmen sa:

– Nå går vi over til meg og tar en kopp kaffe der, så lar vi knekten sove. Han ser jo ut som en kalv på vei til slaktemannen. Den djupe stemmen hans dura gjennom skjelettet mitt.

– Han skal skilles, sa mora mi.

– Det var som satan, sa mannen som het Hansen til etternavn og aldri ble kalt noe annet enn Hansen av noen.

Hansen var mora mi sin beste venn, sjøl om de to for det meste befant seg i hvert sitt land, og jeg er sikker på at de ikke sendte brev til hverandre. Hansen var jernbanearbeider på tidlig pensjon. Han bodde rett inne i byen i ei lav teglsteinsblokk og dro ut til sommerhuset sitt på knallerten så ofte han kunne uansett hvilken tid på året det var.

– Jeg har aldri selv vært skilt, så jeg er jo helt uten erfaring, sa Hansen, og det ble en pause, og så hørte jeg han si: – Hva har du der?

– En flaske Arvid har kjøpt, sa mora mi. – Det franske brennevinet calvados.

– Javel, han har vel penger i så fall, knekten, sa Hansen. – Men kom nå, så snakker vi heller politikk på den andre siden av hekken. Jeg gir en kopp kaffe, og et kakestykke har jeg også, om du har lyst og orker, og kanskje la han hånda si mot kinnet hennes akkurat da.

Jeg hørte dem reise seg fra bordet og gå mot døra. Det var Gorbatsjov de nettopp hadde snakka om, det forsto jeg med en gang, mannen med kart over en ukjent nasjon i panna, som nå var president i Sovjetunionen, innsatt i den stillinga året før, og skulle vise seg å bli den siste lederen av en statsdannelse som var et 70 år langt eksperiment, hvor alt hadde gått til helvete for lenge siden. Men det var det ennå ingen som forsto. At Gorbatsjov skulle bli den siste. Ikke han sjøl heller.

Den yngste av brødrene mine hadde reist inn til den sovjetiske ambassaden i Oslo og fått personalet der til å gi fra seg et fotografi av presidenten sin, enda persondyrkingas tid nok var over for godt, i Kina til og med, hvor det jo tok helt av i noen år, det skal ikke benektes, og broren min bar bildet forsiktig med seg hjem og fikk det montert i ei blank ramme og ga det til mora mi i bursdagspresang.

– Heng dét opp over senga di, du, sa han, – så kan du snakke med han før du sovner om kvelden. Sånn som Arvid pleide å snakke med Mao.

Hun hengte det opp, mest for moro, men det er jo ikke sant at jeg snakka med Mao. Det ville i så fall vært temmelig barnslig. Jeg *hadde* et bilde av Mao over sove-sofaen på begynnelsen av 70-tallet, det er for så vidt sant, det var jo over senga det var plass. Men der hadde jeg også et bilde av Bob Dylan og et av Joni Mitchell på ei strand i California (*Oh California, California, I'm coming home*) pluss et landskapsbilde av den engelske maleren Turner i reproduksjon, fordi jeg hadde lest i ei bok et sted, at han malte bildene sine med pensler som var dyppa i farga damp, og det syntes jeg var så fint sagt, at da jeg kom over en plakat med et bilde han hadde malt av havet rett ut for byen Whitby på den engelske østkysten, en by jeg hadde vært i året før, så kjøpte jeg den plakaten fordi jeg mente jeg kunne se at det stemte.

Maobildet jeg hadde, var det kjente fargeretusjerte fotografiet hvor han sitter lett bøyd over bordet sitt og skriver med en sånn kinesisk tusjpenn eller pensel, og jeg tenkte alltid, eller håpte, at det han skreiv akkurat da ikke var en av de politiske eller filosofiske artiklene, men et av diktene, kanskje det som begynner:

Skjøre bilder fra avreisen og landsbyen dengang.
Jeg forbanner tidens elv: det er toogtredve år siden,

fordi det viste en menneskelig Mao, en jeg følte meg knytta til, en som kjente tida herje med kroppen som jeg sjøl hadde kjent det mange ganger, hvordan tida helt uforvarende kunne komme meg i kapp og plutselig fare omkring på undersida av huden som bitte små, elektriske støt, og det var ikke mulig å stoppe dem, enda jeg så gjerne ville. Og når de endelig ga seg og alt ble stille, var jeg allerede blitt en litt annen enn den jeg var før, og det gjorde meg noen ganger helt oppgitt.

Men 70-tallet var borte for lengst. Bare et halvt år før denne novembermåneden hadde jeg og en skare av dem jeg kjente fra den gangen, fra 70-tallet, stått side ved side på fortauet rett overfor den kinesiske ambassaden i Oslo og ropt slagord og protester og hatt brev med til hans eksellense den kinesiske ambassadøren, og jeg husker ikke i dag om han sjøl kom ut av porten, eller noen andre kom ut, eller om noen kom ut i det hele tatt og tok imot brevet. Men vi ba i hvert fall innstendig de kinesiske myndighetene, det kinesiske kommunistpartiet vi hadde hatt en sånn respekt for i mange år, om å slutte å slå i hjel studentene på plassen de kalte Tiananmen, om å slutte å slå i hjel de unge arbeiderne som allierte seg med studentene, vi ba dem stoppe den strømmen av blod som i juni 1989 rant ut til alle hjørner av den store plassen som små elver i et delta av rødt, og like innstendig ropte vi på demokrati i Kina, og det føltes ganske underlig å stå der på den måten med rop om demokrati i det store landet som hadde vært vårt Jerusalem, hvor sola ikke lenger steig opp i øst for andre enn dem som bodde der. En milliard snart. Mao var død nesten tretten år før, og da gikk vi flere tusen i sørgetog gjennom Oslokvelden med bilder på pinner og svarte faner i vinden og sørgebånd rundt armene, og jeg husker at jeg tenkte, *hva gjør vi nå?*

Men i juni 1989 føltes det merkelig bare, og litt leit. Mange av dem jeg så omkring meg, hadde jeg ikke sett på ti år, og de så så mye eldre ut alle sammen, og noen hadde smale striper av grått ved tinningene, og det var ikke mer vi skulle rope, og lufta ble tom som den var da vi kom, og jeg forlot plassen på fortauet rett over- for den kinesiske ambassaden i følge med henne som i femten år hadde vært mitt liv, men som ikke skulle være det lenger.

8

Jeg fikk jobb i en bedrift ikke langt fra Økern stasjon på T-banelinja mot øst. Jeg hadde vært der i to måneder nå. Jeg sto ved maskina og så lyset komme skeivt inn i hallen i flere skrå søyler fra de store vinduene mot parkeringsplassen. I det grå støvet var de så kompakte at du kunne skalle i dem om du gikk forbi akkurat der uten å se deg for, og det var det nesten rart at ingen gjorde. Jeg håpte at lufta ikke var så tett, så grå mellom pallene der jeg sto ved båndet, men det var den helt sikkert og kanskje enda tettere. Det var jo derfra støvet kom.

Om kvelden og natta var vinduene svarte. De skrå søylene var oppløst og borte, og lyset hadde flytta seg fra vinduene til lufta over maskinene hvor neonrørene hang fra taket i lange lodne kjettinger, og støvet hadde også flytta seg og virvla over hodene våre som glitrende konfetti.

De fleste dagene gikk vi like skift og var sammen ved båndet, vi som utgjorde det jeg kalte førstelaget, noe alle kalte det nå, mens vi andre dager ble satt i et rullerende system, og da var det kanskje bare to av oss på plattinga langs den lange maskina med andre enn dem vi kjente best. Jeg ble ikke vant til det. Det var som når jeg kom hjem fra ferie etter to måneder, og faren min hadde ommøblert stua, og jeg ble speilvendt i hodet og kunne svinge feil inn fra entreen de første dagene og snuble i en stol når brødrene mine og jeg skulle se på TV.

De som sto ved båndet på det andre skiftet, hadde ikke samme evnen til å støtte hverandre som vi gjorde på førstelaget, og da kunne rytmen slås i filler, og jeg ble alltid mer sliten når vi rullerte på den måten, og de gangene jeg fløy etter trucken for å kjøre fram nye paller med materie for så å senke dem på en av liftene vi trengte for å spare ryggen, kunne kammeret ved stasjonen min gå tomt. Da måtte hele båndet stoppes fordi det ene ferdigfalsa sekstensiders arket etter det andre med tekst og bilder plutselig ble hengende igjen på kjettingen for så å forsvinne fra midten av ukebladet det var jobben vår å samle til ett i den maskina. Da kunne han vi kalte Sony Amerika bli voldsomt irritert og skrike til meg og prøve å stirre meg i senk med et nådeløst blikk på en måte som maskinkjører Hassan på førstelaget aldri ville gjort. De hadde samme jobb, men aldri sammen, og Sony Amerika kunne vel kjøre den trucken sjøl, hvorfor måtte jeg alltid gjøre det? Jeg skulle jo fôre stasjonen min. Jeg burde blitt rasende og forlatt maskina og satt meg på en pall og rulla en røyk med ryggen til Sony, men det kaltes vel sabotasje, og ingen ville støtta meg på det skiftet, og det visste jeg godt. Så jeg gjorde ikke det, men stirra bare ondt og nådeløst tilbake.

Det var Elly og jeg som kom best ut av det ved båndet. Vi hadde samme rytme, samme pauser, og vi så på hverandre og lo når vi mer enn ofte fikk til den samme bevegelsen i samme takt som var vi én person med fire armer, og hun sto og løste kryssord, og jeg sto og leste bøker når kammeret var fullt og alt gikk glatt. På nøyaktig samme tidspunkt gikk vi på igjen. Da var Hassan fornøyd og la beina over kjedekassa ved uttaket og leste ukeblader med porøse sider og arabisk skrift. Når jeg løp etter trucken, akte Elly seg fort bort og fylte kammeret mitt så båndet ikke skulle stoppe. Det var det ingen andre som gjorde.

Hver halve time bytta vi plass. Fem av kamrene fylte vi med treholdig porøst og lett papir som sendte virvler av støv opp i ansiktet, men var snilt mot hendene og produsert av Follum i Norge. I det siste la vi glansa, tungt og stivt papir produsert i Finland av Kirkniemi.

Nesten hver gang vi bytta stasjon, ga Elly meg en hoftesving som kunne sende meg med hodet først ut på pallene der papiret fløy til alle kanter når jeg landa, og den runde hofta satte avtrykk på låret mitt, og der ble det sittende, og hun lo, og jeg lo, og Hassan løfta hendene oppgitt i været og rista på hodet.

Noen ganger når jeg var trøtt og lei han, og han ikke var til stede, kunne jeg herme den tunge sørstatsaksenten til Sony Amerika, en aksent han aldri ble kvitt, og det var jeg ganske god til, det var det mange som syntes. Men jeg angra alltid noen få timer seinere, etter det tidlige skiftet eller seine skiftet eller etter overtid om natta på veien ned bakken mellom fabrikkene mot Økernsenteret for å ta T-banen hjem. Jeg skulle skape enhet i arbeiderklassen, ikke splittelse, det var partiets linje, og Sony Amerika var ikke fienden.

*

Jeg hadde gått natta og sto på perrongen og venta, og toget kom inn på den motsatte sida og stoppa, slapp passasjerer ut og slapp nye inn, det tok lang tid, og så kjørte det igjen. Det var en strøm av godt kledde folk i boblejakker og mørke kåper, i korte jakker av tweed, av ull, som gikk av på denne stasjonen med skjerf rundt halsen og hansker på hendene, med votter, og alle sammen var på vei til en av bedriftene i området. Det var mange av dem her, det var flere enn ved noen annen stasjon i dalen.

Da alle var forsvunnet opp trappa, kom ei jente fram fra bak leskuret, jeg hadde sett henne flere ganger før. Hun måtte ha gått av toget som nettopp forlot stasjonen og hadde ikke fulgt med strømmen opp trappene, gjennom sperrene til torget utafor, men i stedet forsvunnet rundt veggen til baksida av skuret med det kraftig bua taket, som en pagode i Kina, og var kommet fram igjen og sto nå ytterst på perrongen og venta på neste tog. En gang hun kom fram fra bak skuret tørka hun munnen med det blå kåpeermet eller frakkeermet, egentlig, det så litt kort ut til henne, det så litt kaldt ut, hun hadde pannelugg og lyst langt hår som Joni Mitchell har på coveret til albumet *Blue*, men var ikke så gammel. Og så kom toget mitt, dørene slo opp, og jeg gikk inn og rett over til det motsatte vinduet i døra der og ble stående og se på henne helt til vi kjørte. Hun så at jeg så på henne, og da vendte hun seg bort.

Flere ganger skjedde det samme når jeg skulle hjem etter overtid om natta, og der kom hun fram igjen fra bak leskuret og sto i den blå kåpa eller frakken med de korte ermene og så så frossen ut og venta på neste tog og vendte seg bort når hun så at jeg så på henne.

Det var sånt du kunne se helt tidlig på morgenen, hvis du fulgte med og ikke ble borte i støyen omkring deg, og spesielt kunne se når du var sliten og trøtt og ikke orka konsentrere deg om mer enn én ting av gangen.

Så stoppa toget ved Carl Berners plass, den blå stasjonen; Tøyen var grønn, Grønland var gul, nærmest beige og så videre i et system som ikke var noe system, og det irriterte meg alltid at det ikke var noe system, for det hadde jo vært så fint om det var, og ikke så håpløst, halvhjerta norsk som det var nå, men heller litt europeisk, litt kontinentalt, for her kom jo plutselig og umotivert en murgrå stasjon midt i rekka og virka helt uferdig og rå med ru og klamme vegger og skulle være sånn for all tid, fordi noen mente det var artistisk.

Jeg gikk i hvert fall av ved Carl Berners plass, den blå stasjonen. Jeg var på vei hjem etter dobbeltskift, altså kveldsskift og natt i ett, og da ble det overtid og bra med penger, og jeg var så sliten at det føltes som rus. De siste timene ved maskina på vei mot vaktskifte kunne vi svime rundt og le av de mest elendige vitser og var lette i hodet som heliumballonger. Kroppen kjentes gummiaktig løs, men jeg likte det, jeg likte å være så sliten, vi var alle slitne.

Jeg kom ned hellinga fra perrongen litt flytende i beina. Ved Narvesenkiosken var det kø foran kassa, det var folk på vei *til* jobb og ikke hjem, som jeg var, og de skulle ha aviser og Norsk Ukeblad og cola i kiosken, og jeg stilte meg i køen, og da det var min tur, kjøpte jeg Dagbladet. Jeg følte meg merkelig betydningsfull, kroppen min var ikke som deres kropper som sto foran meg og bak meg i køen. Jeg var en av dem som holdt maskinene i gang, døgnet rundt hvis det var nødvendig. Jeg gikk verdig og kontrollert mot utgangen, opp mot dørene av armert glass, og det var overraskende kaldt på utsida, det var fremdeles mørkt, det var vinteren snart. Jeg fortsatte ned bakken mot plassen, Carl Berners plass, og videre rundt hjørnet til venstre og så den siste biten langs Trondhjemsveien før den svingte mot sentrum, og i krysset der gikk jeg rett ned til Finnmarkgata, hvor den lille leiligheten min befant seg i annen etasje.

I fotgjengerfeltet møtte jeg en mann jeg kjente. Vi stoppa og ble stående midt i gata, han var eldre enn meg, nesten ti år eldre, og medlem av det samme kommunistiske partiet. Han het Frank. Han var fagarbeider i en bedrift rett ved Hasle stasjon, han hadde røtter der fra mange år tilbake, hadde vært der i hele sitt voksne liv, i motsetning til meg i min bedrift med bare to måneder i kroppen. Men han het jo ikke Frank, det var et dekknavn, jeg visste ikke hva han het. Sjøl het jeg ofte Arne, det var mitt dekknavn for Arvid, og jeg sa ofte feil fordi de begge begynte med A og hadde to stavelser. Det var litt håpløst, jeg hadde valgt det sjøl, så jeg kunne vel ikke bytte nå. Han sa:

– God morgen, kamerat, det er tidlig, er du på vei til jobb?

– Nei, sa jeg, – jeg er på vei hjem, jeg har gått natta. Jeg bor der, sa jeg og pekte mot vinduet mitt som vendte ut mot krysset vi sto i.

Han snudde seg og nikka og snudde seg tilbake.

– Det var vel overtid da, sa han, og jeg sa ja, jeg hadde gått overtid, jeg var sliten, og han sa at det var fint, for overtid om natta sveisa arbeiderne sammen, det var et pluss for samholdet og gjorde det lettere å være kommunist, sa han.

– Det har du nok rett i, sa jeg, men for å være ærlig, hadde jeg glemt å være kommunist den natta. Jeg hadde stått ved maskina og så virra rundt når det var pause og prata tull som de andre gjorde. Og den ene gangen da Hassan måtte streve og banne med fastnøkler og harde slag fordi et ustifta dårlig falsa blad var kommet skeivt inn i uttaket og nå pressa reimer og tannhjul ut av stilling, spilte vi fotball foran truckene med ei stor kule av oransje filler vi hadde surra sammen med strikker og tråd, sånn som ungene gjorde på løkkene før krigen. Det hadde vært fotball-VM det året, og entusiasmen satt fortsatt i beina, sjøl om Nederland ble slått av Vest-Tyskland i finalen.

En bil kom ned gata og tuta høyt, han hadde grønt lys, og vi sto midt i krysset, og da sa Frank som ikke het Frank:

– Du får sove godt og våkne med ny vilje, og jeg sa at det skulle jeg i hvert fall. Så gikk han over til sin side og jeg til min, og bilen slapp fram, og jeg gikk videre gjennom portåpninga og svingte mot oppgangen på innsida av gården og så de to trappene opp og stakk nøkkelen i låsen.

Det var stille i leiligheten. Det lukta støv. Jeg hadde fortsatt en dur i hodet og hakkende slag i kroppen etter maskinene, dunk, dunk, dunk, sa det i tinningene, og det suste i øra. Hvis jeg la meg ned nå, ville jeg ikke få sove.

Jeg hadde lyst på kaffe, men da ville alt bli verre. Jeg åpna døra til kjøleskapet for å se om jeg hadde en øl,

71

en halv øl bare, men det sto ingen øl der, og jeg hadde ikke lyst på juice. Så da drakk jeg et glass vann. Jeg satte meg ved bordet, la panna i hendene og lukka øynene og satt en stund på den måten. Noen ganger bekymra det meg litt at det vi produserte var så komplett unyttig, ja så fordummende, men det var ikke det som var viktig. Det var arbeidet som var viktig.

Jeg reiste meg og gikk inn i stua og henta fra bordet der inne den boka jeg leste for tida, Jan Myrdal om Afghanistan, *Kulturers korsväg*, der linjene møttes fra øst til vest, fra vest til øst, karavaner av kunnskap og så vidt hørbare sanger i den tynne lufta. Jeg satte meg ved kjøkkenbordet og leste. Det var himmel over setningene. Verden folda seg ut i all sin bredde, bakover i tida, framover i tida, historia var en lang strøm, og vi var en del av den strømmen. Folkene i alle land hadde samme lengsler, samme drømmer og sto hånd i hånd i en stor sirkel hele kloden rundt.

Jeg gikk inn i stua og kledde av meg og kasta et blikk på Mao som hang der med Bob Dylan og Joni Mitchell på hver sin side før jeg la meg under dyna. Jeg leste et par sider til, og så begynte jeg å glippe med øynene. Jeg la boka fra meg, jeg kan sove nå, tenkte jeg, vi greier det, tenkte jeg, dette kommer til å gå.

9

Jeg reiste meg fra den gamle sovesofaen og gikk bort til vinduet. Mellom vårt sommerhus og Hansen sitt var det en godt opptråkka sti gjennom pilehekken, og på den stien så jeg ryggene til mora mi og Hansen forsvinne, som min egen rygg og ryggen til hun som het Inger hadde gjort det mer enn tjue år før, på vei over til den andre sida for å kline når hun var aleine hjemme. Jeg husker jeg gikk ut fra at det var sånn det skulle fortsette, helt til jeg én sommer kom ned, og så hadde de solgt stedet sitt, og hun var borte for alltid. Jeg har egentlig aldri greid å se de store forandringene som er på vei før i siste øyeblikk, har ikke sett hvordan én tendens dekker en annen, som Mao pleide si, hvordan det som kommer strømmende like under overflata kan bevege seg i en helt annen retning enn den du trudde alle var blitt enige om, og hvis du ikke er oppmerksom når alt sammen snur, blir du stående aleine igjen.

Jeg gikk bort til døra der støvlene mine sto, og snørte dem på meg og tok losjakka på og gikk ut og rundt sommerhuset der den gamle buskfurua sto. Det hadde vært tre av dem nesten ti år før, men vinterstormene velta to over ende, og faren min brukte en sommer på å kappe dem begge i høvelige lengder som han så kløyvde til vedkubber og stabla foran skjulet under bølgeblikk surra fast med tau mot vinden. Men den siste furua ble stående og ville ikke rikkes og ville ikke veltes av noen vind og var blitt høy nå til buskfuru å være, og mer enn høy, og tett i baret og breia seg ut over den delen av tunet som vendte mot Hansen, og skygga for sola om kvelden, og de nederste greinene strakte seg ut over taket vårt og gnikka og gnurte når vinden kom inn fra havet. Mora mi ville ha den ned. Hun hadde sagt det i flere år, hun ville ha den ned fort, ikke en stubbe, ikke ei flis skulle stå igjen, men tida gikk, og faren min nølte med å ta på seg oppgaven, han var ikke ung lenger, og jeg forsto han for så vidt godt.

Jeg gikk ned langs pilehekken forbi åpninga med stien inn til Hansen sitt sommerhus og videre bort til grusveien og gikk den samme ruta nå, som den jeg hadde gått et par timer tidligere. Det føltes litt latterlig, som om jeg ikke kom meg noen vei, men repeterte alt jeg hadde gjort før.

Ei eldre dame kom syklende forbi på grusveien i retning byen. Hun hadde ei brun veske hengende på styret, og jeg visste hvem hun var med én gang. Hun var mor til ei jente som het Bente, som broren min kjente, ikke han som var eldre eller han som kom sist, men han som kom etter meg og som allerede var død. Det skjedde seks år tidligere. At han døde. Jeg hilste så vidt, men hun kjente meg ikke igjen, eller ville ikke, og bare trilla videre på den svarte, danske sykkelen sin og viste meg ryggen. Hun og familien hennes hadde også et sommerhus her ute. De bodde inne i byen på sørsida med under en time på sykkel imellom.

En femten, tjue meter lenger borte i veien satte hun plutselig foten litt klossete i bakken og begynte å bremse på den måten. Det var så vidt hun ikke seilte over ende med sykkelen og veska og hele stasen. Så snudde hun seg halvt med den ene hånda på setet.

– Er det deg, Arvid, sa hun temmelig høyt. Fru Kaspersen, het hun. Else Marie Kaspersen egentlig, men det hadde vi aldri sagt.

Jeg gikk bort og stoppa ved sykkelstyret hennes og sa:

– Det er jo det. Det er meg.

– Er du her nå, sa hun. – Er din mor her?

– Ja, det er hun.

– Jeg har tenkt så mye på henne. Hvordan har hun det, sa fru Kaspersen.

– Hun har det fint, sa jeg. – Helt fint.

– Det var godt å høre. Hun så ned på pedalene. – Det var jo så leit, det som skjedde med broren din. Han var sånn en fin knekt.

Broren min, tenkte jeg, hvilken bror, jeg har glemt broren min, tenkte jeg, men det hadde jeg jo ikke. Jeg hadde ikke glemt broren min.

– Du vet, jeg håpte jo lenge at han skulle bli svigersønnen min.

– Tja, det var vel Bente som ikke ville ha han.

– Mener du det? Var det ikke han som gjorde det slutt, sa fru Kaspersen.

– Det var nok ikke det. Ikke som jeg kan huske.

– Kanskje du har rett. Jeg vet ikke. Men jeg ville ikke hatt noe imot å ha ham som svigersønn, sa hun.

– Det er jeg klar over, sa jeg.

– Det var jo så leit, det som skjedde.

– Ja, det var leit, sa jeg, men det var ikke det jeg tenkte. Jeg tenkte, jævla kjerring, hva veit vel du om leit, hva veit vel du om leit. Ingenting, tenkte jeg. Ingenting.

– Jeg husker det som om det var i går, sa hun.

– Det er seks år siden det, nå, sa jeg.

– Er det virkelig så lenge?

– Ja, sa jeg.

Hun rista på hodet og beit seg i leppa, hun tenkte nok på dattera si. Kanskje gikk det ikke så bra med Bente, kanskje hadde hun gifta seg med en idiot. Kanskje hun burde valgt broren min likevel, og så ville ikke han ha vært død, tenkte jeg.

– Jaja, fortiden, den kan ingen gjøre om på, sa hun, – men du får hilse inn til moren din. Si at jeg kommer innom en tur, hvis hun blir her noen dager.

Du kommer ikke innom, tenkte jeg. I helvete heller om du gjør.

– Det skal jeg si, sa jeg. – Det lover jeg. Og da var hun fornøyd. Så trakk hun en bekymra mine som en rullegardin ned over ansiktet.

– Men nå må jeg ikke bli for sen. Det er litt kaldt, syns jeg. Det er jo november.

– Det er i hvert fall sant, sa jeg, – det er november, og hun sa:

– Farvel da, Arvid, og jeg sa:

– Ha det bra, fru Kaspersen, og så trilla hun av gårde på sin svarte doning. Jeg ble stående og vente til hun var helt forsvunnet rundt svingen med nyperosebuskene, og så fortsatte jeg videre bort veien til stranda.

Da jeg kom ned dit, satte jeg meg akkurat der hvor jeg satt tidligere på dagen, om morgenen, der mora mi også satt. Jeg så meg omkring og så hvordan sivbeltet hadde breia seg ut med stor fart de siste åra og nå blokkerte muligheten til å bade på akkurat denne strekninga, om du ikke hadde en passelig stor machete parat, og det fordi en å rant ut i sjøen rett nord for her og dro langs land mot sør et stykke før den forsvant til havs og gjorde vannet helt innerst om til brakkvann. Det ga vegetasjonen på dette stedet en annen karakter enn ved resten av kyststripa. Da jeg var gutt, ble det snekra ei bru over åen og sivet, så vi kunne gå tørrskodd ut til de fine badestedene, men det var ikke engang rester å se av den nå. De som ville bade trakk lenger inn mot byen og til strendene der.

Jeg lukka øynene og grov hendene ned i sanda, og jeg tenkte at jeg bare ville sitte her, og så kjente jeg med ett den duften igjen, og jeg kjente mot huden den lufta jeg hadde kjent på akkurat dette stedet, hvert eneste år, men aldri så sterkt som da jeg var sju år gammel, enda alt var annerledes da, tida på året var annerledes, hele stranda så annerledes ut, uten siv og kratt den gangen, allting mer horisontalt, den ene linja bak den andre, gang etter gang, helt ut til den ytterste linja, der skyene velta opp som røyk. Men det var der vi var, ved foten av de lave klittene, og det var ikke sekstitallet ennå. Rett øst i havet lå øya med fyrtårnet. Det var dis der ute, og ingen lykter i tårnet var tent, men hvert eneste øyeblikk visste jeg nøyaktig hvor det fyret befant seg. Jeg hadde det i øyenkroken.

Det var veldig varmt den dagen, det var en skarp lukt av tørkende tang i lufta, av halvdøde brennmaneter, av glassmaneter som størkna i det splintrende lyset, det var duften av sjø og den stikkende duften av marehalm og

duften av nyåpna flasker med søt appelsinsquash. Jeg
satt svarthåra og sped med en spade i hånda og grov i
den mørke og saftige sanda, og jeg hadde de lyse og
storvokste, grovlemma brødrene mine omkring meg på
alle kanter. Det var bare to av dem på det tidspunktet,
og de var snille, men de tok mye plass. Hver gang jeg
snudde meg, satt en av dem der.

En mann kom gående barbeint på stien fra nord.
Han hadde oppbretta buksebein og kritthvite ankler.
Han stirra på oss idet han passerte og stoppa noen
skritt lenger bort og så ned på mora mi som lå side-
lengs på et skotskruta pledd i solskinnet med en rykende
sigarett i den ene hånda. Det var før hun ble redd for
lungekreft, så sigaretten var en Carlton. I den andre
hånda hadde hun en roman av Günter Grass, en tjukk
en, kan jeg huske, som noen hadde sendt opp fra Tysk-
land, det må ha vært *Blikktrommen* som nettopp var
kommet ut det året, den var en sensasjon. Hun var
brunbrent av sol og hadde badedrakt på, den var rød
med blå linninger, jeg huska den godt, det kreppaktige
med den, det utspekulert rynkete, jeg hadde drømt om
den mange ganger.

– Det må jeg så bare si, frue, sa mannen høyt, – det
er hjertevarmt av Dem å ta et lite flyktningebarn med
Dem på ferie i familiens skjød på denne måten.

Det var sånn han sa det, og han sa det på dansk,
men det hadde vi ingen vanskeligheter med, og det var
heller ingen tvil om hvilket barn han mente, sjøl om jeg
faktisk ikke var så jævlig liten akkurat det året, og de
snudde seg samtidig alle sammen og glante på meg, og
brødrene mine ble ille berørt av en grunn som jeg ikke
forsto. De rødma i hvert fall, og mora mi smilte, hun

òg litt ille berørt, kunne det virke som. Men hun svarte ingenting, og mannen, han løfta på hatten, en stråhatt, er jeg sikker på at det var, en panamahatt med svart bånd, og fortsatte videre på sitt spradende vis, med hendene på ryggen, barbeint og fornøyd med seg sjøl og den beskjedne dama på pleddet og med en observasjon han ikke tvilte på var riktig, men hvor skulle jeg være flyktning ifra? Fra Korea da, eller fra det høye Tibet? Bortsett fra det at jeg ingen trekk hadde som var asiatiske, og ikke var jeg flyktning fra Algeriekrigen heller, for om jeg var mørk den gangen, var jeg ikke til de grader mørk, og da var det kanskje fra Ungarn jeg kom og fra krisa de hadde hatt der? Og enda var det sikkert flere områder å velge imellom, men det kan også godt hende at han ingen steder hadde i tankene, utenom det at jeg så annerledes ut og så påfallende for alle var ulik brødrene mine, og på den tida fantes ingen andre svar på spørsmålet han stilte seg, enn det at jeg var et flyktningebarn, og så hørte han til den typen mennesker som ikke kan holde kjeft.

Jeg skulle ønske han ikke hadde sagt de orda på stranda den dagen, for jeg glemte dem aldri. Og uansett hvor mye jeg etter hvert kom til å likne på faren min, og uansett hvor mange forsikringer jeg fikk om at jeg var et ønska barn, det eneste faktisk, som var planlagt på forhånd, så ble jo nettopp det en bekreftelse på at plassen min i familien ikke hadde den naturligheten over seg som jeg kunne ha ønska meg.

Da mannen var borte, var leken ødelagt. Likevel ble vi på stranda ei god stund til, og mora mi tente en ny sigarett og vendte tilbake til boka si, men fra der jeg satt på huk i sanda kunne jeg se at hun aldri fikk løfta hånda for å bla om til neste side. Hun må ha lest de samme linjene om igjen den ene gangen etter den andre, distrahert kanskje og ute av stemning, eller hun leste ikke i det hele tatt, men bare glante inn på de trykte sidene. Det gjorde meg urolig, ting var ikke som de skulle være, og det eneste *jeg* kunne gjøre da, var å mime en lek jeg nå ga fullstendig faen i.

Men det jeg fant ut nettopp den sommeren, som var den siste sommeren før femtitallet tok slutt og sekstitallet tok til, før muren ble reist mellom øst og vest, var at å svelge unna var noe jeg kunne, hvis situasjonen jeg var havna i blokkerte alle andre muligheter, at jeg kunne svelge unna og bare la det synke, det som traff meg, og late som ingenting. Så jeg herma en lek som ikke lenger betydde noe, jeg gjorde alle de riktige bevegelsene med alle ansiktsuttrykkene som hørte til, og da så det jo ut som det jeg gjorde hadde en mening, hadde en retning, men det hadde det ikke.

Det gikk fortsatt en sti i sanda på innsida av sivet mot plassen der badebrua en gang hadde vært, og noen steder gikk den gjennom sivet, og jeg reiste meg fra klitten, jeg var sjuogtredve år og børsta sand fra buksebaken og fulgte den stien et stykke, og da kunne jeg plutselig verken se fyrtårnet eller havet, men bare de tjukke, raslende, gule stråene på begge sider, som en mur av bambus, tenkte jeg, i Kina, ved bredden av Yangtsekiang. Så da gikk jeg der og var kineser ei stund, beina gyngende som beina til en utslitt soldat i kamp mot den japanske invasjonen, eller som poeten Tu Fu flere hundre år før, på en av hans lange og farefulle reiser.

Det var snekra ei brygge ved en sving i åen rett framfor meg, og ved brygga lå tre robåter fortøyd, hver av dem malt i hver sin farge, rødt og grønt og blått. Årene lå pent på plass over toftene. Det var ikke et menneske å se til noen kant, verken på land eller vann, bare stien og sivet og en åpen flekk med gress foran brygga, og da gikk jeg forsiktig om bord i den av båtene som ikke hadde vann i bånn og satte meg på den midterste tofta med ryggen mot brygga og bredden. Jeg rørte ikke årene, men satt der bare helt rolig og så ut langs vannet i åen. Det var grønt og speilblankt på en måte det store havet ikke kunne være, og jeg tenkte at jeg sannsynligvis aldri hadde følt meg så nedfor som jeg gjorde akkurat da.

Jeg veit ikke hvor lenge jeg satt i den båten, men da jeg reiste meg fra tofta for å gå i land, var jeg kald og stiv i kroppen. Jeg tok et langt skritt over til brygga, og idet jeg flytta tyngden gjennom kroppen, var bare tåspissen framme, og foten glei av den ytterste planken, og *jeg* fulgte etter, rett ned mellom båten og brygga, og det var så smalt der i den sprekken, at bakhodet slo mot ripa i fallet. Det gnistra i det store mørket på innsida av hjernen og gjorde så vondt at jeg ble redd, og da jeg åpna munnen for å rope om hjelp, fossa brakkvannet inn, og vannet trakk inn i jakka, og genseren ble tung og dro meg ned, og jeg hosta og hosta og slo ut med armene og prøvde å svømme, men det var jo ikke plass. Så kom jeg på hvor det var jeg befant meg, at jeg antakelig kunne bånne her i åen, og da reiste jeg meg opp og sto, og vannet rakk meg ikke lenger enn til midt på brystet. Det var umulig å heise seg opp mellom båten og brygga, det var for trangt, så jeg lot alt jeg hadde av verdighet fare og trakk pusten hardt og dukka inn under båten, og med knærne mot sandbunnen kom jeg over til den andre sida og så inn mot brygga fra motsatt kant og til slutt opp på plankene. Der ble jeg liggende rett ut til kulda tok tak så hardt at tennene begynte å klapre i munnen, og jeg var nødt til å reise meg.

Det var to veier ut av uføret, den ene tilbake den stien jeg var kommet, eller jeg kunne gå videre langs åen et stykke og opp forbi husene hvor de bodde som eide robåtene, men jeg ville ikke at noen skulle se meg som jeg så ut akkurat da, og derfor løp jeg tilbake rett over den åpne gresskledde vollen og inn på stien hvor sivet sto høyt på begge sider, og jeg var ikke mye kineser nå, og jeg sprang hele veien tilbake og kom dunkende i støvlene mine opp forbi uthuset, rundt furua som sto der og skjerma for sola, og så rundt hjørnet ved terrassen hvor døra var åpen inn til stua, og mora mi sto aleine på innsida med hodet bøyd og begge hendene i håret. Hun retta seg opp da hun hørte meg komme, og tok tak i dørkarmen, og jeg kunne vært mannen i månen eller hvem som helst annen for hva jeg så i blikket hun sendte meg, men så stirra hun meg plutselig rett inn i øynene og sa:

– Men, Arvid, si meg, hvor kom du egentlig fra?

Det dryppa fra jakkeermene, det dryppa fra håret, og jeg snudde meg og pekte ned mot veien og havet bak trærne.

– Jeg kom derfra, sa jeg.

– Åh, herregud, sa mora mi og rista på hodet. – Det var ikke det jeg mente.

– Neivel, sa jeg. Jeg ble stående og se på henne. Hun så ikke frisk ut.

– Hva er det du glor på, sa hun.

– Deg, sa jeg, – jeg ser jo på deg.

– Det kan du bare la være med, sa hun og forsvant inn i stua.

[10]

Det fru Else Marie Kaspersen hadde i tankene og syntes hun kunne tillate seg å rive opp i, var følgende:

Eldste broren min ringte meg på jobben en morgen og sa jeg måtte opp til Ullevål sykehus.
– Ikke sett deg ned, sa han, – bare dra.

Det gjaldt den broren min som kom etter meg i rekka, som fru Kaspersen så gjerne ville hatt som svigersønn. Det var i 1983. Jeg var ansatt i en bokhandel da, i sentrum av Oslo, rett ved Nasjonalgalleriet. Jeg hadde vært der i to år. Før det hadde jeg vært i en bedrift hvor vi produserte et tjukt ukemagasin, et ukeblad, og jeg sto ved båndet i det siste leddet av den produksjonen i fem år. Jeg trudde jeg måtte. Men det måtte jeg ikke.

Jeg var nettopp kommet inn gjennom døra da jeg hørte at det ringte. Jeg tente ei lampe og lente meg over disken og løfta røret av telefonen som sto klemt mellom to stabler kataloger fra forlag i England og USA. Det var bare meg til stede så tidlig. Alle dager unntatt søndag og annenhver lørdag kom jeg ut av oppgangen hjemme, løp ned gangveien mellom blokkene og satte meg på bussen, lente meg fornøyd mot det dirrende vinduet og sov hele veien inn til Oslo. Jeg var som regel førstemann på jobb og skulle gjerne ha dratt dit på søndagene også. Jeg trivdes som jeg ikke hadde gjort noe annet sted i mitt liv. Det var første gang jeg som voksen mann kunne våkne om morgenen og tenke, nå skal jeg på jobben snart, og ikke kjenne noen motvilje noe sted i kroppen. Jeg trivdes så godt på den arbeidsplassen at det tok meg lang tid å forstå at det ikke bare skyldtes jobben jeg hadde, men også det faktum at jeg hver morgen kunne lukke døra til leiligheten bak meg, puste ut og bare dra.

Det var ikke vanskelig å komme seg til Ullevål sykehus fra gata hvor den bokhandelen lå som jeg jobba i. Jeg kunne bare løpe rundt til parallellgata Pilestredet, et kvartal lenger øst, der trikken gikk på den tida, og gå om bord i en av dem som stoppa ved holdeplassen der, og så tok det ikke mer enn et drøyt kvarter før jeg var oppe ved sjukehuset.

Det var tidlig høst og helt klar himmel. Jeg satt ved vinduet i trikken med ansiktet klemt mot ruta og glante ut på det merkelige, lave sollyset som ga bygningene jeg passerte en uvirkelig gul farge, som en farge i et teaterstykke, tenkte jeg, fra lyskastere rett utafor blikkets rekkevidde, og jeg kunne ikke komme på at jeg noen gang hadde sett et så utrulig gult lys i virkeligheten, men det hadde jeg sikkert.

Jeg visste godt hva som venta meg i den andre enden av denne trikketuren, men jeg ville ikke tenke på det ennå. Jeg hadde et langt kvarter jeg kunne bruke til hva som helst annet. Det kunne rommes et liv i det kvarteret, ja, det var som om det kvarteret ikke hadde noen slutt i det hele tatt, men heller var som et ekspanderende rom der ingenting *kunne* ha noen slutt, enda jeg godt visste at femten minutter seinere, noen få sekunder og et visst antall holdeplasser, var jeg oppe ved Ullevål sykehus og måtte gå av trikken og så gå ned de hundre meterne på fortauet langs Kirkeveien og svinge inn til venstre gjennom porten i tårnet og etter det gå videre bort til sjukehusblokka som et eller annet sted i tolvte etasje hadde den nest yngste broren min innelåst.

– Korridoren bort til høyre etter heisen og så spør du i vaktrommet, forklarte han i telefonen, – og si navnet hans høyt, sa den eldste broren min med en befalende stemme jeg bare sjelden hørte han bruke, men jeg visste ikke om jeg kom til å greie å si navnet hans høyt.

Men alt det der kunne tidsnok komme, og jeg begynte å tenke på noe annet i den delen av hjernen jeg trudde hadde plass til overs. Jeg mente jeg kunne rekke over en god del emner om jeg bare konsentrerte meg nok, og det første som av en eller annen grunn falt meg inn, var den episoden i Hemingways bok *En varig fest* der Hemingway sjøl og den eldre og mer etablerte kollegaen Scott Fitzgerald går ut på toalettet i en kafé på hjørnet av rue Jacob og rue de Saint-Pères i Paris for å få en oversikt over størrelsen på utstyret til Fitzgerald. Kona hans Zelda hadde uttalt seg nedsettende og sagt at graden av lykke i forhold som dette var et spørsmål om lengde, og at Fitzgerald aldri ville kunne gjøre en kvinne lykkelig sånn som han var skrudd sammen, og mannen var knust. Men på toalettet kunne Hemingway slå fast at alt var i orden, du er helt i orden, Scott, sa han, men sånn sett ovenfra vil du få et feil inntrykk, se på deg sjøl i profil i et speil, foreleste han, og gå så til Louvre og se på statuene der, og da vil du falle heldig ut. Og det var ikke det at rådene var dårlige, men da jeg leste den om igjen etter fylte tredve, altså det året vi snakker om nå, 1983, var det den nedlatende tonen episoden var skrevet i jeg la merke til først. Mer enn tredve år etter Paris hadde Hemingway fortsatt behov for å dukke Fitzgerald, og det enda Fitzgerald allerede den gangen episoden fant sted var på vei ned og ville ende sitt liv nesten glemt og sølt bort i alkohol, mens Hemingway var på vei opp og ville bli der lenge. Det vitna om en smålighet jeg til stadighet kunne se dukke opp i det forfatterskapet, og særlig følte jeg det pinefulle i nettopp scenen på toalettet i rue Jacob, som var det meg det gjaldt helt personlig, og jeg begynte å fundere på i hvilken grad det prega forfatterskapet til Hemingway, det faktum at han helt tydelig kunne være en drittsekk, og jeg trur jeg kunne kommet langt i det resonnementet med mange eksempler om ikke trikken jeg satt i akkurat da svingte forbi de røde mursteinsbygningene som til sammen utgjør Veterinærhøyskolen i Oslo. Den lå på høyre side av trikkesporet på vei mot nord i den bydelen på vestkanten som heter Adamstuen, en bydel jeg aldri hadde hatt noe forhold til og ikke for mitt bare liv ville greid å forklare hvor befant seg, om noen hadde funnet på å spørre, hvis det ikke var for den ene gangen jeg året før var kommet kjørende dit i en bil som ikke var min, den lange veien fra der jeg bodde nordøst for Oslo, med et utbretta kart på setet ved sida av meg og inn til nettopp Veterinærhøyskolen for å avlive en hund som heller ikke var min. Jeg forstår ikke hvorfor jeg sa ja til det oppdraget, men det hadde jeg altså gjort. Det var ei tispe som tilhørte noen i den nærmeste familien. De kunne ikke ha henne lenger av grunner som jeg ikke hadde noe med. Jeg kjente den hunden ganske godt og hadde vært på tur med henne flere ganger helt tidlig om morgenen for å hjelpe til i vanskelige situasjoner. Jeg trur vi likte hverandre på en distansert og høflig måte, vi hadde jo kjent hverandre siden hun var liten valp og jeg var en yngre mann. Men hun irriterte meg også, for hun var til halvt en jakthund, en halv beagle, mener jeg det var, og hadde ikke lett for å gå ved fot på den måten som jeg ville at hun skulle. Hun var heller en sånn hund som dro og dro i lenka til jeg kjente jeg ble delt på midten av frustrasjon, og hvis jeg i stedet fant på å slippe henne, var hun kjapt over alle hauger. Det syntes jeg var pinlig, særlig hvis jeg hadde knapt med tid og skulle rekke bussen inn til Oslo, og i stedet måtte løpe omkring og rope på henne mellom trærne i utkanten av området med boligblokker jeg bodde i på den tida og for så vidt bor i ennå, i skrivende stund, og jeg husker at jeg flere ganger tenkte jeg var glad det ikke var min hund.

Men da jeg svingte inn på parkeringsplassen til det som vel var poliklinikken for dyr av rimelig størrelse, satt hun helt rolig i baksetet med et oppmerksomt blikk ut av vinduet i bilen, som var den samme røde Opel Kadetten hun pleide å kjøre med. For en gangs skyld gikk hun rolig og pent på plass og fulgte meg inn gjennom døra og bort til luka hvor det satt ei dame bak glasset og stirra meg så blått inn i øynene at jeg syntes det var ubehagelig, og da hun spurte hva det gjaldt, sa jeg at det gjaldt å avlive den hunden.

– Javel, sa hun og lente seg fram og kikka ned på hunden, og hunden kikka tilbake og logra forsiktig.

– Du får sitte der og vente hvor de andre venter, sa hun og pekte. Det hadde hun ikke behøvd å gjøre, det så jeg jo fint på egen hånd. Jeg gikk bort og satte meg med hunden i lenka, og nå hadde jeg en nummerlapp i hånda. Hun la seg på golvet rett foran meg med labbene over skotuppene mine, og jeg tenkte jeg skulle snakke litt lavt med henne de siste minuttene hun hadde igjen å leve og kanskje si noen trøstende ord, men jeg kom ikke på noe som kunne passe. Dessuten var hun helt rolig nå og kanskje litt innadvendt, sjøl om det satt folk på alle stoler til høyre og til venstre med katter og hamstere og alt mulig annet i bur.

En stund etter kom en mann i hvit frakk ut av ei dør og sa nummeret på lappen min høyt. Jeg reiste meg og gikk bort til døra og ga han lenka med hunden i den andre enden, og hun fulgte lydig med han inn. Jeg gikk tilbake og satte meg for å vente, enda han for så vidt ikke hadde sagt at jeg skulle. Det som gjorde meg urolig, var at ingen hadde spurt om det faktisk var min hund. Det gjorde situasjonen utrygg, syntes jeg, tvetydig, hva som helst kunne skje, med hvem som helst, bare den det skulle skje med hadde tillit til verden.

Det tok ikke mer enn ti minutter, så var mannen tilbake i døråpninga med frakken sin på. Den var like hvit som før. Han vinka på meg. Jeg reiste meg og gikk bort til døra, og han åpna den på vidt gap så jeg kunne gå forbi han inn, og slo hånda ut i en bydende bevegelse mot neste dør.

– Du vil vel se henne, sa han.

– Ja, sa jeg. – Jo. Og siden han fortsatt holdt armen strakt ut i den samme stivna bevegelsen, gikk jeg de skrittene fram som skulle til og åpna den neste døra.

Hun lå på et bord av blankpussa metall. Det så iskaldt ut, og hun lå velta over med alle fire beina ut til den samme sida på en måte hun ellers aldri ville gjort og var så stille som jeg heller aldri hadde sett henne være. En død hund er stillere enn et hus på ei slette, en stol i et tomt rom.

– Det gikk greit det, sa mannen i den hvite frakken.

Jeg sa ingenting. Jeg lurte på om tanken var at jeg skulle ha henne med tilbake igjen til bilen. Jeg så meg sjøl med hunden tungt i armene på vei gjennom rommet vegg i vegg, pelsen mot håndflatene, hodet hengende, ørene dinglende, og så strene forbi alle dem som satt der på stolene og venta, men det var ingenting som tyda på det, så jeg snudde meg tomhendt for å gå.

– Takk, sa jeg.

– Du glemte denne, sa han. Jeg skvatt og snudde meg, og da ga han meg lenka med det oppspente halsbåndet. Jeg tok det og gikk og betalte i luka for tjenester utført, og framme i bilen la jeg lenka med halsbåndet i setet ved siden av meg, oppå kartet som lå der fra før med en kulepennsirkel omkring bydelen Adamstuen, som jeg glemte hvor befant seg idet jeg forlot den, og jeg slo den ene knyttneven hardt i rattet og tenkte, din idiot, hvorfor sa du ja til å se henne, hvorfor sier du alltid ja, bare fordi du trur at du må, og jeg dunka knyttneven flere ganger hardt i rattet, jeg slo og slo, og like hardt slo jeg knyttneven i vinduskarmen på trikken som nå var kommet et godt stykke forbi Veterinærhøyskolen, og jeg forsto at det kvarteret jeg var sikker på at jeg kunne seile trygt omkring i, langt ifra var noe ekspanderende rom uten slutt, men tvert imot var som

det alltid er med tida, at den kan glippe ut mellom fing-
rene i et uoppmerksomt øyeblikk.

Like etter var jeg framme ved krysset i Kirkeveien,
der du er nødt til gå av hvis du har tenkt deg til Ullevål
sykehus.

I tolvte etasje gikk jeg ut av heisen og et par, tre skritt
til høyre. Jeg følte meg ikke klar. Jeg stoppa og ble stå-
ende helt stille. Jeg hadde noe i halsen jeg ikke fikk
opp. Rett framfor meg var det store vinduer på lang
rekke med utsikt mot nord og en bra bit mot øst og
mot vest. Jeg gikk helt fram til et av dem og lente
panna mot glasset og så ned, og det ga meg et sånt
plutselig støt i magen at jeg trudde jeg skulle falle rett
ut gjennom vinduet og alle etasjene ned mot bakken.
En varme jeg ikke kunne stoppe skylte gjennom krop-
pen, og det var som om en vind fór øredøvende tvers
igjennom hodet mitt der alt mulig rusk og rask jeg
hadde glemt å rydde bort ble slått skramlende opp
imot hjerneveggene. Jeg satte sjøbein og pressa begge
håndflatene mot vinduet, og med panna fortsatt hardt
mot det samme vinduet, holdt jeg øynene åpne og
tvang meg til å bli stående hvor jeg sto, og hvis et heli-
kopter var kommet feiende forbi i akkurat den høyden,
i akkurat det øyeblikket, et ambulansehelikopter kan-
skje, med flere dødssjuke pasienter om bord, ville pilo-
tene se en mann med vidåpen munn og oppspilte øyne,
som ei maske klint tett imot vinduet et dusin etasjer
opp i været. Så kneip jeg øynene hardt sammen og dro
et langt drag luft ned i lungene og holdt den der så
lenge jeg kunne, og da jeg åpna øynene igjen, sto ver-
den stille.

Nede på bakken, ved foten av blokka, løp en mann, eller kanskje en gutt, i fullt firsprang forbi inngangen og rundt hjørnet, og ei kort stund etter kom han fram igjen fra det andre hjørnet og begynte på en ny runde. Det var noe vagt kjent med den skikkelsen, og samtidig så han merkelig ut, vridd, på en måte, fra tolvte etasje.

Jeg fant vaktrommet nede i korridoren, sa navnet til broren min høyt gjennom den åpne døra og fikk et klart svar og lange øyekast tilbake, og enda litt lenger nede i korridoren fant jeg rommet han lå i, åpna døra og gikk rett inn.

Det var ikke som jeg hadde venta meg. Han var den eneste pasienten, og det var ikke noe vanlig rom som de jeg hadde vært inne i før, når jeg en sjelden gang besøkte folk jeg kjente på sjukehuset, og han lå heller ikke i ei vanlig seng. Han lå i respirator. Han var fortapt, det så jeg med én gang, for det var ikke han som pusta, det var denne maskina som sendte luft inn i lungene hans så jamnt at ikke noe menneske har pusta så jamnt noen gang, og det kom lyder fra maskina, uhyggelig mekaniske og pesende lyder. Det så vondt ut med den maskina, den gjorde han vondt, den slo mot kroppen hans, og han kunne ikke verge seg, kunne ikke stoppe de slagene, han var jo fortapt. Men mora mi satt der ved sida av senga og holdt han i hånda med begge sine, og hun gråt ikke, hun sa bare: – gutten min, sa hun, – gutten min, sa hun og var helt konsentrert og inne i det som var i ferd med å skje, eller allerede hadde skjedd, helt overmanna blind var hun for alt annet, og gutten hennes var denne broren min som var yngre enn meg, men ikke yngst, som var lang og kraftig og ikke likna på meg i det hele tatt, men som helt sikkert hadde hatt sin betydning for livet mitt i den tida som lå bak oss. Og jeg også måtte vel ha spilt en rolle i livet hans, i de sjuogtjue åra vi hadde kjent hverandre og helt åpenbart hadde utveksla tanker og deltatt i gjerninger sammen på tvers av den aldersforskjellen og ulikheten som fantes, men jeg hadde glemt hva det var. Store blokker av liv var borte da jeg gikk inn i det rommet på Ullevål sykehus og så han ligge i respiratoren, ufri og lenka til plassen som en naken kosmonaut i sin cockpit skutt ut og på vei helt aleine mot et lite, kanskje varmt sted i det kalde verdensrommet, hvis det fantes sånne steder, noe jeg dessverre ikke trudde, men jeg kunne ikke komme på noen ting som vi hadde delt. Ingen fortrolighet vi hadde hatt sammen, i hvert fall de siste åra, og heller ikke fra barndommen. Og det kunne ikke stemme. Det fantes der alt sammen om jeg bare konsentrerte meg nok, men det var som om jeg hadde en uoppmerksomhet i hjernen, en blank flekk av teflon, hvor alt som kom skrensende inn og traff den, glei like fort unna og var borte med én gang, en flyktighet i sinnet. Jeg var uoppmerksom i livet mitt, ting skjedde og jeg fikk det ikke med meg. Viktige ting.

I en stol ved vinduet satt faren min med noe som nesten var et smil om munnen, et upassende smil, i så fall, og han stirra skrått ut av vinduet og ut over bygningene som var Ullevål sykehus til sammen og ut over Ullevål Hageby der husene så pertentlig engelske og littegrann snobbete ut, og kan hende så han helt over til Ullevål stadion fra der han satt.

Da han snudde seg fra vinduet og så inn i rommet, fikk han øye på meg som var blitt stående to skritt på vei fra døra, og jeg forsto det plutselig, at han var sjenert, at uttrykket jeg så i ansiktet hans, i øynene hans, det lille smilet, var et uttrykk for sjenanse, og det mens den tredje sønnen hans lå i respiratoren noen meter fra han og døde, eller kanskje allerede var død. Og jeg var jo som faren min, vi likna hverandre, vi var som støpt i samme form, det var det jeg alltid hadde hørt, og akkurat som han, var *jeg* også sjenert. Jeg kjente ikke døden så tett på, den var en fremmed, og den gjorde meg sjenert. Jeg ville ikke være der. Jeg hadde ingen anelse om hva jeg skulle si, og faren min visste ikke hva han skulle si, og øynene våre møttes på tvers av rommet, og med én gang lot vi blikkene vike, og det gjorde meg så oppgitt og nesten bitter. Den ville varmen fra vinduet i korridoren var ute av kroppen, og leddene ble stive og ansiktet stivt som papp, og jeg så bort mot stolen der mora mi satt ved broren min sin side, bøyd over senga, og jeg tenkte, at om *jeg* var den som lå i respiratoren her i tolvte etasje i ei blokk på Ullevål sykehus og døde, eller kanskje allerede *var* død, ville hun da så uten forbehold være oppslukt av det som skjedde med meg? Ville hun så udelt la seg senke i *min* skjebne, eller var skyggen jeg kasta ikke lang nok, ikke tung nok for henne?

Jeg tok baklengs to skritt mot døra og fant blikket til faren min før jeg dro tobakken opp av lomma og pekte på pakka, åpna så døra bak meg og snudde og gikk ut i korridoren. Ikke én gang hadde mora mi løfta hodet og sett i min retning for å dele med meg det som skjedde.

Det var vinduer her også, midt imot, og et blendende lys mot ansiktet. Jeg snudde meg halvt og leita i alle lommene etter solbriller, som jeg fant til slutt og satte på nesa og trykte på plass og rulla en røyk med ryggen mot veggen, sleika langs limet på papiret og lukka sigaretten og begynte å gå for å finne et rom jeg kunne røyke den i, og jeg fant ett, litt tilbake i korridoren, en liten salong bak en glassvegg, med stoler og bord. Men det var ikke mulig å sette seg ned med den kroppen jeg hadde, så jeg ble bare stående tett inntil glasset med sigaretten mellom fingrene, og med jamne mellomrom trakk jeg røyken ned i lungene og tvang meg til å tenke på ingenting, og det var faktisk ikke så vanskelig.

Da sigaretten var røyka til fingertuppene, og jeg skulle til å stumpe den i et blikkaskebeger på bordet, kom Lillebror forbi i stor fart på den andre sida av glassveggen. Han var andpusten med åpen munn og kom gående fra heisen, og det pene ansiktet hans så oppløst ut og var bulkete som hadde han fått insektstikk overalt, og øynene var hovne. Han marsjerte blindt rett fram uten å se seg til høyre eller venstre og visste likevel godt hvor han skulle, og det gikk opp for meg at han allerede hadde vært i rommet med respiratoren og hadde forlatt det igjen for så å komme tilbake etter å ha løpt rundt sjukehusblokka i sirkel etter sirkel.

[11]

Jeg møtte henne bare ei uke etter at jeg sist så henne komme fram fra bak leskuret på Økern stasjon. Hun kom syklende på fortauet langs Trondhjemsveien, eller Europavei 6. Jeg var på vei ut av trappeoppgangen til ei høyblokk på Årvoll og gikk ned en gangsti mot den store veien, rett ved det nye biblioteket. Det var mørkt, jeg hadde vært på et møte i åttende etasje hvor pluss og minus ved meg som kommunist ble vurdert i en to-rommer ved sida av heisen. Ikke bare som politisk menneske ble jeg vurdert, men som helt menneske. Noe skille mellom det private og politiske fantes jo ikke. Det var seks medlemmer til stede på møtet, og to av dem var yngre enn meg, de gikk fortsatt på gymnaset og var harde i kantene, de hadde revolusjonær glød. Det hadde jeg òg, men de var ikke enkle å verge seg mot, og jeg kom dårligere ut av det enn forventa. Nå skulle jeg hjem fra Årvoll ned bakkene til Carl Berners plass.

Rett før lyskrysset kom hun i motsatt retning, opp dalen, og jeg kjente henne igjen med en gang. Hun hadde den samme korte blå kåpa som sist og det samme merket på slaget som jeg hadde, det var rødt og blått med ei gul stjerne i midten, det sto *Seier for FNL* i den hvite sirkelen ytterst, og hun var bar i halsen, det så kaldt ut, og hun kjente også meg igjen. Jeg kunne ikke se at hun rødma, det var ikke lyst nok, men jeg visste at hun gjorde det, og da hun trilla forbi, sa jeg hei, og da bremsa hun og stoppa noen meter framme. Hun snudde seg og ble stående, hun dro kåpa tett sammen i halsen, og jeg sa ingenting, og så sa jeg:

– Jeg har jo sett deg.

– Ja, sa hun.

Jeg gikk helt opp til henne og stilte meg ved sykkelen med hånda på setet.

– Jeg liker den kåpa, sa jeg, – det gjør jeg, og det var sant. Jeg likte den sjøl om den var litt for kort til henne. Den så litt musikkjentete ut, vokalist i et band, noe sånt, og da lo hun og sa:

– Det er konfirmasjonsfrakken til broren min. Han brukte den bare den ene dagen, og etter det ville han ikke se på den engang. Jeg syns den er fin, men den var fader ikke fin på han.

– Den er kjempefin, sa jeg, og hun så veldig ung ut på nært hold, hun var yngre enn det jeg hadde skjønt. – Du er konfirmert, du da, sa jeg og smilte så hun ikke skulle ta spørsmålet ille opp hvis det var helt på jordet.

– Jada, det er jeg, sa hun og lo igjen, men jeg tenkte, hun sa ikke når, og nå var det jeg som rødma, jeg rødma ofte og kjente følelsen godt når den kom, og det var det vel lett for henne å se, så tett som vi sto. Jeg slapp setet. Jeg pekte på FNL-merket og sa:

– Det er bra.

– Jeg støtter dem, jeg, sa hun.

– Hvem da, sa jeg for å teste henne. Det var kanskje ikke pent.

– De som kriger mot den amerikanske invasjonen i Vietnam. FNL, frigjøringsfronten.

– Det er bra, sa jeg.

– Ja, sa hun. – Det er jo det.

– Jaja, sa jeg og visste ikke hva mer jeg skulle si, – vi sees helt sikkert igjen, sa jeg, og det jeg tenkte på da, var perrongen på Økern stasjon.

– Det håper jeg, sa hun og mente noe annet, og da sa jeg hvor jeg bodde. Bare sånn, adressa og alt. Hun smilte ikke, bare nikka forsiktig, og så dro vi til hver vår kant.

Ei uke seinere kom hun på døra, og så kom hun igjen, og nå hadde hun vært hjemme hos meg flere ganger på vei hjem fra skolen i Oslo sentrum og drukket te i det røde kjøkkenet, hvor jeg fortalte henne om ting jeg mente jeg hadde greie på, om bøkene mine, om Afghanistan og kulturenes korsvei, om Mao ved skrivebordet, om Edvard Munch og partiet mitt, og hun fortalte meg om familien sin, om hvorfor hun grua seg til å reise hjem etter skolen. En gang kom hun opp fra byen og gjorde lekser ved kjøkkenbordet mitt. Da satte jeg meg ned for å hjelpe henne, og siden ble vi sittende og snakke og røyke til langt ut på kvelden, og jeg trur det var måten hun holdt sigaretten mellom fingrene på som berørte meg mest, hvordan håndflata folda seg ut foran brystet med en liten knekk i håndleddet og gloa pekende mot golvet, og den natta var den første natta hun ikke reiste hjem.

Noen dager seinere ringte det på døra til denne lille leiligheten jeg hadde bodd i siden jeg begynte på skolen på hjørnet av Dælenenggata og Gøteborggata. En skole som ikke lenger hadde meg som elev. Det var ikke mange andre jeg fikk besøk av i den perioden enn jenta i den blå frakken, jeg var jo frivillig skilt fra de vennene jeg hadde delt nesten alt med i to år, i kantina, i røykerommet, i kvelder med halvlitere pils, og så hadde vi plutselig ingenting felles mer. Noen nye venner hadde jeg ennå ikke fått, om en ser bort fra kameratene i partiet, og sjøl om de var mennesker jeg likte godt de aller fleste av dem, hadde jeg ikke knytta personlige bånd. Så det var ikke mange som ringte på døra, unntatt fru Andersen i etasjen under som alltid skulle klage på trappevaska mi, fordi jeg brukte oppvaskmiddelet Zalo i bøtta i stedet for Krystall grønnsåpe.

Klokka var litt over tolv på dagen. Jeg reiste meg fra kjøkkenbordet hvor jeg satt og leste i ei bok av den amerikanske forfatteren William Faulkner, eller prøvde å lese, for å være ærlig, og det var faktisk litt på kanten, for William Faulkner var ikke akkurat pensum i partiet mitt. Men jeg prøvde likevel, og så la jeg et kinesisk bokmerke med rødt silkebånd inn i *Absalom, Absalom*, som var hva boka het, og gikk for å åpne døra. Jeg så ut gjennom kikkhullet først, som jeg alltid gjorde, og der sto mora mi.

I de to månedene som var gått, hadde jeg ikke sett henne eller snakka med henne, hadde ikke tatt T-banen østover de få stasjonene til Veitvet i Groruddalen for å besøke henne, ikke engang for å få meg en gratis middag, noe jeg ofte gjorde før.

Med den ene hånda, på tuppen av fingrene, holdt mora mi en flat, hvit papirpose, omtrent som kelnere på fine restauranter bærer tallerkener mellom bordene, og hun så bare rett framfor seg og inn i døra med det smilet som ikke var noe smil. Hun så i hvert fall ikke mot kikkhullet, og da var hun forhåpentligvis ikke klar over at jeg sto på innsida og betrakta henne. Den hvite, flate posen balanserte i høyde med det høyre øret hennes, og det var høsten nå, hun hadde den grå kåpa si på og et rødt skjerf rundt halsen. Hun skulle snart feire 50-årsdag og var derfor yngre den gangen enn jeg er nå, i skrivende stund, og det er det merkelig å tenke på. Jeg syntes hun så godt ut.

Men noe viktig var blitt annerledes. Det var kommet et skille i tida, et *før* og et *etter*, ei grense som jeg hadde kryssa, eller kanskje ei elv, som Rio Grande, og nå var jeg kommet til Mexico hvor ting var på en helt annen måte og kanskje litt skremmende, og så hadde den overfarten avleira seg i ansiktet mitt, og mora mi ville se det med en eneste gang, at vi nå sto på hver vår side av den elva, og det ville såre henne at jeg hadde forlatt henne frivillig, og derfor likte hun meg ikke lenger og ville ikke ha meg. *Vik fra meg*, ville hun si, *din idiot*.

Jeg kunne jo late som jeg ikke var hjemme, at jeg faktisk var gått på kinomatiné eller ut for å handle eller kan hende befant meg på jobben fortsatt, på morgenskiftet da, i så fall, men det siste hadde hun helt sikkert funnet ut av på forhånd, og uansett hadde jeg lengta etter henne. Så jeg åpna døra.

– Hei, sa jeg.

– Hei, sa hun, – der er du jo, for jeg hadde latt henne vente i lengste laget.

– Kom inn, sa jeg og tok ett skritt til side. Hun kom inn over terskelen. Hun var verken blid eller irritert, men hun hadde det litt utålmodige, laossbliferdige-meddettetullet-uttrykket hun ofte kunne ha. Vi gikk gjennom den lille entreen og ut på kjøkkenet. Det var det eneste rommet som var ryddig, men det var jo ikke dårlig bare det, for jeg hadde bare ett til, og der befant seg det meste av det jeg eide, og jeg må si det lå lagvis.

– Er du blakk, sa hun.

– Nei, sa jeg. – Egentlig ikke.

– Nei, du er vel ikke det, sa hun og la den hvite posen forsiktig på kjøkkenbordet. Hun kasta et blikk på *Absalom, Absalom* som lå der allerede.

– Den er seig, den der, sa hun.

– Helt enig, sa jeg, – men den er ganske fin òg.

– Jovisst er den det. Men, med skam å melde kom jeg aldri helt igjennom, sa hun, og for å si som sant var, ville heller ikke jeg greie å komme meg igjennom, det var jeg temmelig sikker på. Men det var likevel riktig at den var fin å lese, sjøl om jeg aldri ble ferdig med boka. Det var det som var så rart. Det spilte ingen rolle.

Med tre fingrer fikk hun åpna den hvite posen i den ene enden og trakk ut et lite pappbrett med to napoleonskaker på. Jeg stirra på dem og visste ikke hva jeg skulle si. Visste ikke om jeg ble glad. Visste ikke om jeg syntes det var pinlig.

– Fra Bergersens, sa jeg, og hun svarte:

– Nei. De er ikke det. Og så sa hun: – Har du ikke kaffe?

– Jovisst.

– Så sett på en kjele med vann, og la oss komme i gang med det her.

Jeg gjorde som hun sa, og det var som om jeg ikke greide å gjøre noe i det hele tatt, hvis ikke hun først fortalte meg hva det var jeg skulle gjøre. Så da satte jeg på vann til kaffe, og jeg så at hun så på hendene mine, om de kanskje allerede hadde forandra seg, og det hadde de jo, de var røde og flisete og litt svarte under neglene, og hun merka seg det, og jeg var fortsatt støl i kroppen etter så mange brå bevegelser og tunge løft jeg ikke var vant med i så mange timer av gangen, hver dag i to måneder, hele døgnet rundt, hadde jeg følelsen av, men det var ikke noe jeg hadde tenkt å snakke om, hvis hun ikke spurte, og det gjorde hun ikke.

Jeg kikka på klokka jeg hadde over døra, og så at det var tre timer til kveldsskiftet begynte. Det var mer enn rikelig tid til å sitte her og spise kake og så reise opp til stedet jeg dro til når jeg skulle på jobben, på Økern, som var to stasjoner østover med T-banen og identisk med stedet hvor faren min jobba i mange år helt fra jeg var liten, hvor han ikke jobba lenger, fordi han ikke orka å gå skift i ståket lenger, orka ikke suset og støvet hele døgnet rundt og hver eneste uke med et nytt skift i kroppen, han følte seg vissen av jetlag, han mista kopper i golvet, tallerkener i golvet, magen slo seg vrang, og de fire milene på ski han hadde gått hver eneste søndag i hele sitt voksne liv ble plutselig for mye, ikke en eneste søndag fikk han det til.

– Skulle ikke du vært på jobb nå, sa jeg.

– Hvor da? På Freia?

– Ja. Hvor ellers.

– Jeg jobber ikke lenger på Freia.

– Det visste jeg ikke.

– Nei, hvordan kunne du vite det, sa hun.

Jeg helte vannet over i en kolbe med filterholder av brun plast på toppen, og et papirfilter med tre spiseskjeer traktekaffe, og jeg sto der og venta til vannet var trukket ned, mens jeg så ut gjennom vinduet mot Finn-markgata og de nesten nakne trærne på Ola Narr og på vinduskarmene jeg hadde malt i en klar og lysende rød farge og visste jeg måtte male hvite igjen i flere strøk, om jeg noen gang skulle flytte, og det skulle jeg vel. Jeg helte den ferdige kaffen i ei termokanne som var like oransje som karmene var røde og satte den på bordet og skulle til å sette meg etter, og hun sa:

– Kopper og asjetter, og jeg hadde ikke engang vært nede på stolen før jeg måtte opp igjen og hente kopper og asjetter i skapet på veggen. Jeg åpna den øverste skuffen i benken og fant steikespaden jeg brukte som kakespade de gangene jeg hadde ei kake i huset og la den ved sida av de to napoleonskakene og satte meg ned, og da var det visst greit for henne. Hun tok steike-spaden, løfta de to kakene forsiktig over på asjettene, og så reiste hun seg likevel, gikk over til benken og dro ut den øverste skuffen og kom tilbake med to gafler.

– Javel, sa hun, – la oss nå smake på disse da, og så snakker vi ikke mer om det.

Og så snakker vi ikke mer om det. Og vi hadde ikke snakka om noenting. Hun spolte tilbake til punktet før noenting hadde skjedd, og det var jo ingenting feil med de kakene heller, det var napoleonskaker av ypperste kvalitet, jeg hadde ikke smakt noen bedre på lenge, og da har vi med en ekspert å gjøre, nemlig meg, og det var høsten nå for fulle alvor, på utsida av vinduet kom vinden ned gata i store spiraler med støv og med løv fra kastanje, lønn og lindetrær, og asfalten så hardere ut enn den gjorde om sommeren, som en størkna skorpe du kunne falle om og slå deg helseløs på. Men i kjøk-kenet kom varmen sigende fra en sentralfyrt radiator, opp langs beina og magen, og radiatoren hadde jeg også malt rød. Og egentlig var det for seint. Det gikk opp for meg plutselig. At det kanskje var for seint. At hun skulle kommet hit før, eller jeg skulle reist opp med T-banen før, til Selvaaghuset med de sprø papp-veggene du kunne sparke et høl i med foten så foten forsvant inn til naboen, og jeg forsto at hun også visste det, at det kanskje var for seint, og hun visste at jeg visste det, men hvis vi bare lot være å snakke om det og spiste napoleonskake, da kunne vi holde den viss-heten i sjakk. Og hun kom jo ikke hit for å be om unn-skyldning heller, men fordi det var hun som hadde født meg. Fordi jeg var sønnen hennes. Det var sånn det var. Hun kom ned hit fordi hun var *mor*. Og likevel var det for seint, det var noe som brast, en wire hadde struk-ket seg langt og flisa seg opp og røyk med et smell det var lett å høre mellom murveggene. Og jeg visste at hun hørte det like godt som meg.

Men ballen var på min halvdel av banen, og der kunne den ikke bli liggende. Så for å få inn litt spøk, for å få litt humør inn i det rødglinsende kjøkkenet, sa jeg:

– Fikk du sparken da, av formannen på Freia? Og jeg smilte da jeg sa det, for jeg trudde jo ikke at noe sånt hadde skjedd.

– Nei, sa hun. – Det var jeg som sparka han.

– Sparka *du* han?

– Ja, i beinet. Ganske hardt, faktisk, og så gikk jeg. For alltid.

– Men du kan vel ikke bare gå fra en arbeidsplass på den måten? Det finnes vel regler? Du har jo vært der i ti år, da mister du jo alle rettigheter.

– Det gir jeg strengt tatt faen i, om du unnskylder en mor det uttrykket, og det var vel ikke vanskelig å unnskylde det uttrykket, men jeg visste at noe i nærheten av det, ville faren min aldri kunnet gjøre, og ikke jeg heller, enda det *var* faktisk jeg som hadde brutt over tvert og slutta på en skole hvor mye av det jeg lærte, var noe jeg alltid hadde drømt om å lære, for så i stedet å bli industriarbeider, som hun var det, og faren min var det, og var nødt til å være.

– Hva gjør du nå da? Jeg mener, har du fått deg en ny jobb?

– Jeg er stuepike på Park Hotell, sa hun hardt og så meg inn i øynene med et trassig blikk, som om jeg var en person som kanskje kunne sagt noe nedlatende om den stillinga, men jeg visste ikke engang hva en stuepike var, og det sa jeg, og da svarte hun:

– Jeg støvsuger rom og rer opp senger og vasker toalettskåler, alle de tingene der, sa hun, og jeg som ikke hadde bodd på hotell ei eneste natt i hele mitt liv, jeg forsto jo at det hun gjorde på Park Hotell, var det samme som hun gjorde i leiligheten på Veitvet og alltid hadde gjort og alltid hadde hata, og det sa jeg også, jeg sa:

– Men mamma, er ikke det et arbeid du alltid har hata, og da svarte hun:

– Jovisst, men nå har jeg faktisk ingenting imot det. Nå får jeg jo betalt, og det er vel en liten forskjell der, syns du ikke? Og det er klart jeg var enig i det, at det var en forskjell.

Og så satt vi der, hun og jeg, på hver vår side av bordet i kjøkkenet med de rødmalte vinduskarmene og spiste napoleonskake med utsikt til Finnmarkgata og

Ola Narr og ingenting mer, midt imellom Munch-museet og Carl Berners plass, og det var blitt stille i rommet, vi sa ingenting, og vi så ikke på hverandre heller, og jeg begynte å tenke på alle filmene vi hadde sett sammen, på TV i svart-hvitt, eller på Sinsen kino, på Grorud kino, på Ringen kino rett oppe i gata fra lei-ligheten min, og jeg tenkte på kvelden da vi ti år før hadde reist opp til Colosseum kino på Majorstua i Oslo, bare hun og jeg, for å se filmen *Grand Prix* med Yves Montand og James Garner i hovedrollene som de to racerkjørerne. Vi hadde pynta oss for anledninga, hun i en blå kjole med gule blomster, jeg i den grå Beat-lesjakka som ikke hadde krave, men var kanta med smale, svarte bånd hele veien rundt, og allerede et kort stykke ute i filmen var jeg sterk tilhenger av Yves Mon-tand. Han var hard og besluttsom bak rattet, men hadde noe annet i tillegg, noe langs øynene, en tristhet kanskje, som James Garner ikke hadde. Do you ever get tired? Of the driving, sa Yves Montand. No, sa James Garner. I sometimes get tired, sa Yves Montand, men kan hende var ikke dette triste noe annet enn det at han var fransk, og mora mi forsto godt at jeg holdt med Yves Montand.

Men han døde i filmen. Han døde i det øyeblikket han forsto han var i ferd med å finne lykken han så lenge hadde leita etter, med Eva Marie Saint, og som kanskje ville fjerna det triste franske draget fra øynene hans, og så strøyk han ut av banen i et helvete av flammende ben-sin, og jeg holdt meg for øynene, jeg svelga og svelga, og da vi kom ut av kinoen, måtte mora mi stoppe ved par-keringsplassen på vei bort mot Majorstua stasjon for å trøste meg. Og da hørte vi den *vrooomende* lyden fra rekkene med biler der de voksne mennene inspirerte og rødkinna av filmen ruste motorene, før de slapp klutsjene ut igjen så kjapt at hjula spant på asfalten og ga fra seg en kvinende lyd og svingte så ut i den store verden. Litt for fort, litt for stive i kurvene, på jakt etter den reine linja, og så kjørte de bare hjem. Da lo mora mi høyt og boblende, nesten kjælent, syntes jeg, med sin mørke stemme, og jeg lo jeg også, høyt og henført med min lyse stemme, jeg var bare et barn den gangen, jeg hadde tårer i øynene, og jeg så opp i ansiktet hennes, for jeg skjønte jo hva som foregikk, jeg forsto hvorfor mennene ruste motorene på den måten etter å ha sett filmen, og *hun* lo fordi hun syntes de var barnslige, men også fordi hun likte dem for at de gjorde det, og hadde vi hatt en bil sammen, hun og jeg, ville *vi* ha gjort det samme, skrensa rundt svingen fra parkeringsplassen med brøl og bare kjørt gjennom gatene i Oslo, hun og jeg, og jeg ved rattet.

– Husker du *Grand Prix*, sa jeg.

 – Den sangkonkurransen?

 – Nei. Jeg mener filmen, den vi så sammen, du og jeg, på Colosseum, den med med Yves Montand.

 – Og James Garner? Joda, den husker jeg godt. Den var spennende. Raske biler, Monte Carlo, alt det der, sa hun og smilte litt. – Men han døde jo i filmen, Yves Montand. Det var så leit, du gråt som et piska skinn. Men det var vel ikke bare du og jeg? Broren din var vel med?

Og plutselig huska jeg det. At storebroren min var med, at vi satt på hver vår side av henne i det vide, høye mørket som var Colosseum kino. Det var ikke bare hun og jeg, for broren min var også der, og da måtte vi ha stått der alle tre ved parkeringsplassen, da jeg grein som et piska skinn, og broren min sikkert ikke grein i det hele tatt, da de voksne mennene inspirerte og rødkinna ruste motorene før de slapp klutsjene ut og forsvant bort langs gata med et kvin og runda hjørnet på to hjul nesten, ved Majorstua stasjon. Men broren min var ikke på bildet jeg tok med meg fra den kvelden. Jeg viska han ut med én gang. Som Stalin viska ut Trotskij.

Så var det ikke mer. Vi hadde spist napoleonskakene, skrapt asjettene, og med begge hender mot bordet reiste hun seg og bretta den lille, firkanta pappbiten fire ganger sammen, krølla den hvite posen, gikk bort til benken og kasta dem i søpla.

– Så får vi kanskje se deg på søndag? Da spiser vi middag sammen. Brødrene dine kommer.

– Jo, sa jeg, – det høres fint ut det. Hvis jeg ikke har et møte da, som jeg er nødt til å gå på.

– Javel, sa hun og ble stående stivt og skulle kanskje til å si noe mer, men i så fall ombestemte hun seg, og jeg fulgte henne ut i gangen og åpna døra, og uten å snu seg gikk hun ned den trappa som jeg hadde vaska, hvert eneste trinn med oppvaskmiddelet Zalo.

III

Noen uker før jeg reiste med den gamle slitne ferga *Holger Danske* til Danmark for å oppsøke mora mi, fant jeg et brev i postkassa sammen med all reklamen og de to avisene jeg hadde abonnert på siden jeg flytta hjemmefra mer enn sytten år før. Jeg åpna brevet og satte meg på det nest nederste trinnet i trappeoppgangen der leiligheten min befant seg rett inn til venstre etter postkassene. Det ble kaldt i rompa, men det er nå der jeg setter meg i fall det er ting jeg må ta stilling til på stående fot, og jeg tenkte at dette sannsynligvis var et sånt tilfelle.

Inne i A 5-konvolutten lå et storformat brevkort med kunstmotiv. På baksida hadde en kvinne fullskrevet og tettskrevet all ledig plass på kortet med en håndskrift som hadde funnet sin form en gang på femtitallet.

Teksten begynte på denne måten:

«Lørdag 28/10 passerte vi hverandre på Sentralbanestasjonen. Et kort øyeblikk. Jeg hadde sort lue med fargede kuler. Da så jeg at du ligner på faren din, slik jeg husker ham. Jeg vokste opp i Vålerenggata 5 – over gangen for familien din. Jeg husker dem godt. Faren din, moren din – henne spesielt godt.»

Nede i høyre hjørne hadde hun signert med et navn jeg aldri før hadde hørt eller sett, og underst i parentes sto det: *født Frantzen*.

Vålerenggata 5! Den funkisaktige leiegården som ligger på hjørnet av Smålensgata og Vålerenggata, der trikken gikk. Jeg huska melkebutikken på vei dit, med flisene på golvet, og portrommet hvor du kunne se de inngjerda tørkestativene i bakgården helt ute fra fortauet når du gikk forbi, de hvite undertrøyene slapt ned som døde menner, tenkte jeg, som lik, mens de rutete skjortene som faren min brukte alltid var i bevegelse, alltid vinka til meg fra snora. Til venstre etter portrommet var det inn i den første oppgangen med ei lita armert glassrute i døra, og så trappene opp, først én etasje, og så en etasje til, i den spesielle lukta mellom murveggene jeg mente hadde noe med bestefaren min å gjøre, noe med klærne hans, de brune jakkeslagene, den prikkete tversoversløyfa han alltid brukte sjøl når jakkene var av, eller skjortene, de brune skoa, noe med et eller annet han hadde i håret, noe tjuktflytende på små flasker med snusbrune etiketter, men det var jo sju familier som bodde i den oppgangen, inklusive vaktmesteren i første, så han kunne vel ikke stå ansvarlig for den lukta aleine. For alt jeg visste, var det sånn det lukta i hver eneste bygård i hele Oslo. De sa han var en god mann. En god kristen. Personlig kunne jeg styre min begeistring. Det kunne mora mi òg.

Det sto *Frantzen* på døra midt imot. Jeg husker metallbrevsprekken som vippa ut og ikke inn og kikkhullet over i voksenhøyde. Frantzendøra var den første jeg så når mora mi og jeg kom opp trappa på vei fra butikken eller trikken fra byen, hånd i hånd, og det var en motstand i kroppen vi delte, som en tung elektrisk strøm fra den ene armen til den andre og tilbake igjen og ned i beina som gjorde dem vanskelige å løfte, og hva jeg seinere huska skiltet for, var *z*'en jeg trudde bare Zorro brukte.

Døra til Frantzen var på høyre side i tredje etasje, og da var vår dør til venstre. Det var bestefaren min sitt navn som sto på skiltet. Mellomnavnet hans *Adolf* var redusert til en *A.* i midten, og det var vel ikke så merkelig i åra etter Krigen. Jeg er oppkalt etter han, jeg har samme fornavn og etternavn, og jeg har alltid likt det dårlig. Men *Adolf* i midten slapp jeg unna, og det fordi presten i Vålerenga kirke sa blankt nei.

Bak døra med *A.*'en i midten bodde mora mi i lag med faren min og to av brødrene hans og faren deres igjen, og så min egen bror og meg. Det var to rom og kjøkken, og ikke særlig store rom og ikke særlig stort kjøkken. Veggene i leiligheten var mørke på en måte jeg i dag ville kalt dunkle, og persiennene var nesten alltid nede. Jeg veit ikke hvorfor. Noen må ha trudd det gjorde rommene svalere at ikke lyset slapp inn.

Jeg hadde ingen anelse om at mora mi kjente dem som bodde på motsatt side av gangen, der det sto Frantzen med *z* på skiltet. Jeg så aldri noen på vei ut av den døra eller på vei inn, men det sier seg sjøl, at det var ikke alt jeg fikk med meg, jeg var temmelig liten da vi flytta derfra. Hals over hode, tenkte jeg seinere, i nattas mulm og mørke, i en lastebil mot Økern og Bjerke og opp gjennom Groruddalen, mot skogen og lyset, mot Vesletjern og Alunsjøen og Breisjøen.

Noen ganger, når faren min og de andre mennene i leiligheten var på jobb, alle sammen i samme Salomon Skofabrikk inntil Maridalsveien ved Kiellands plass, kunne det ringe på døra midt på dagen i tredje etasje, og da gikk mora mi ut fra rommet hvor broren min og jeg befant oss, kanskje sovende andføttes på divanen, og hun la øyet mot kikkhullet, og hvis mannen på utsida ikke så for grim ut eller virka for skummel, åpna hun døra og slapp han inn i gangen, og han fikk sitte på en stol under knaggerekka. Så gikk hun ut på kjøkkenet for å smøre den mannen ei nistepakke. Det var skjeggete menn som ringte på, menn uten jobb og penger, i flekkete dresser fra åra før Krigen, det var menn uten bolig og Gerhardsens tillit, som sov under trærne og buskene om natta, i parken ved Vålerenga kirke, i portrom ved Galgeberg, i Enebakkveien rett ved bensinstasjonen som sto helamerikansk på hjørnet mot Strømsveien, eller inn forbi det store huset i svingen der Frelsesarmeens Krigsskole holdt til, og kristne menn i uniformer trente angrep med sabel på fjerde sal. I sokkelesten, tenkte jeg, for å spare parketten, og mer enn én gang ga mora mi bort et brukt par sko til mennene som ringte på, om de var kommet i nøden på den måten, og det var de ofte.

Jeg tenkte ofte da jeg var yngre at en av de mennene kanskje var den virkelige faren min, for ofte hadde jeg følt at det kunne løse et problem jeg hadde, hvis det fantes en ukjent og unevnt far der ute et sted som fortsatt vandra gjennom gatene om natta i sin gamle frakk og skoa han hadde fått av mora mi, hvileløst og rastløst på jakt etter et sted der *han* hørte til, et lite sted bare, der kanskje *jeg* var, der kanskje *jeg* satt i en mørk krok med låra pressa mot magen og panna mot knærne nesten uten å røre meg, nesten uten å puste og venta og én natt hørte skrittene hans mellom husene og dro kjensel på dem med en eneste gang. Og sjøl om jeg for flere tiår siden har slutta å fantasere på den måten, var

det sterk kost for meg å lese de første setningene i brev-
kortet jeg fikk fra henne som var født *Frantzen*, med
z, i Vålerenggata 5. Jeg visste at jeg likna på faren min,
men det var ikke noen som sa det lenger. Ingen hadde
sagt det på mange år. Sikkert fordi de var døde, de
fleste som kunne se at jeg likna.

Jeg ville jo ikke likne på han. Jeg ville ikke se meg i
speilet, og så var det faren min jeg så der inne. Men
ganske tidlig forsto jeg at alle piler pekte i den retning,
og tida ville komme da det ble tydelig for alle og enhver
hvor mye jeg virkelig likna på faren min. Det ville fjerne
meg fra mora mi for godt. Enda de to faktisk var gift.
Og delte liv. Men det var ikke min oppfatning. At de
delte liv. Og så ville jeg bindes for alltid til faren min
fordi jeg så ut som han og kanskje tenkte som han og
helt mot min vilje ble plassert på den sida av det store
skillet, det store juvet, der han befant seg i et dunkelt
lys mellom mange møbler, der faren hans med sitt *Adolf*
i midten befant seg, og brødrene hans, som da ble onk-
lene mine, en liten skokk av dystre menn som sto skul-
der ved skulder skrudd fast et sted hvor mora mi *ikke*
befant seg, fordi hun var annerledes enn dem, fordi hun
var bortført hit og dermed på merkelig vis var fri.

Sammen med henne var alltid broren min til stede,
den eldste, fordi han var et uønska barn, et barn født
i løyndom og skam rett ute i havet fra kysten av Dan-
mark, mellom marehalm og sauer på ei øy som het
Læsø. Dit reiste hun i all hast med broren min som en
skimrende fisk i buken, og det bandt dem sammen
med en naturlighet som ikke omfatta meg. Han hadde
solskinn og smerte i kroppen der inne i det skum-
sprøyta blå og glitrende rommet han befant seg i så

trygg i sin uønskahet og lovløshet, og det første han så i sitt liv var fårehunder i fri flyt over heden og måker i virvler over havna og den blå himmelen i bue over øya. Det første *jeg* så var faren min sitt ansikt og tre grå, forhutla duer i den støvete vindusposten bak de dinglende persiennene og trikken i Vålerenggata. Jeg var den eneste av etter hvert fire sønner som var planlagt på forhånd, som var ønska av dem begge, det fikk jeg høre til gagns og hver eneste gang som en god nyhet, en gratulasjon, og det ga meg en legitimitet jeg for alt i verden ikke ville ha. Jeg ville være lovløs som mora mi var det og broren min var det og være sammen med dem og dele den smerten og i hemmelighet vandre på leiting etter ny tilhørighet, om natta gjerne, langs mørke gater. Jeg ville åpne døra for fremmede menn og ha en maske som Zorro å skjule meg bak, fordi det nettopp *ikke* falt meg naturlig, alt det som de to hadde sammen, det gjorde meg redd. Så mens åra gikk, ble jeg den ensomme rytter på jakt etter gyngende grunn, og jeg klynga meg til henne, jeg turna for henne, spilte teater for henne, halte latteren ut av henne med dårlige vitser, der poenget ble borte i språklig kaos. Så fort jeg åpna munnen kom setningene ut, hulter til bulter i en fart som til da var uhørt, jeg brukte bleier lenger enn andre barn for å binde henne til meg, jeg kunne stave før jeg slutta med bleier. Men uansett hva jeg stelte i stand, så likna jeg på faren min.

Ingenting i verden var opplagt for meg, i Vålerenggata 5, ingenting var ukomplisert. Derfor holdt jeg et skarpt øye med alt omkring meg og burde ha sett at hun som hadde vært så sterk i kroppen og så ferm, fra ett punkt i tida ble magrere og magrere for hver dag som gikk, at fanget hennes ikke var så mjukt som det før hadde vært. Men jeg sa ikke fra, jeg ropte ikke *varsko her!* til de andre mennene i leiligheten som antakelig var blinde alle som én, fordi jeg var sein til å snakke, jeg kunne bare noen få ord på norsk den gangen, og i stedet måtte hun sjøl finne ut av det, av smerter, av vekttap og blødninger som kom og gikk til tider som var helt uberegnelige og så nærmest i hemmelighet slepe seg til lege og videre til gynekolog med broren min og meg på hjul og plassere oss på venterom der ikke engang Lego fantes på den tida. Og så bare satt vi der på stolene og dingla med beina og glodde på hverandre, eller jeg satt på fanget hans, og han viste meg bildene i Norsk Ukeblad eller kanskje Illustrert og venta i det som virka som et halvt liv, mens *hun* lå der inne, full av skam, med beina hengende over to bøyler bak den dobbelte døra med lydisolering, hvor gynekologen til slutt skøyv stolen tilbake, tok av seg de kraftige brillene og sa:

– Jeg beklager frue, men jeg foretrekker å si det med en gang. Dette er sannsynligvis kreft. Vi får se hva vi kan gjøre. De har jo barn.

– Ja, sa hun bare. – Jeg har barn.

Da vi tre kom hjem fra den hemmelige utflukten vår, til Sagene, har jeg det for meg, eller Bjølsen, var alle mennene fortsatt på jobb, og siden leiligheten var ryddig og rein i god tid før vi forlot den noen timer før, gikk mora mi over gangen og inn til fru Frantzen som var kommet hjem fra jobb og satt der på kjøkkenet med en datter til stede som nesten femti år seinere skulle sende meg et brev.

Mora mi satte seg ved bordet til fru Frantzen og hun la ansiktet i hendene og grât fordi hun var sâ sliten, fordi veien hadde vært sâ lang tilbake gjennom byen fra Sagene, eller Bjølsen, med broren min og meg pâ slep. Og fru Frantzen, som var informert om mora mi sin tilstand, hun sa:

– Nâ, hvordan gikk det, jenta mi?

Og mora mi sa:

– Jeg har kreft, og jeg kommer til â dø.

– Det er ikke sikkert, sa fru Frantzen, – det er mange som greier seg. Og du har jo barn.

– Ja, sa mora mi da. – Det er riktig. Jeg har barn. Jeg har to barn. Og de har hatt det sâ trangt i de korte livene sine, i leiligheten der pâ den andre sida av gangen, og nâ blir de uten en mor som kan passe pâ dem og gi dem det de trenger, og jeg har forsømt dem sâ forferdelig.

– Det har du jo ikke, sa fru Frantzen. – Det kan du ikke si.

– Jo, sa mora mi, – det kan jeg si, og de har ikke engang fâtt smake sjokolade. Ikke en eneste gang, sa hun, og det kan godt hende at det var sant, at vi aldri hadde fâtt smake sjokolade, men det var i sâ fall ikke noe vi klandra henne for. Men etter den dagen stappa hun i oss sjokolade, Freia Melkesjokolade og Kvikklunsj for det meste, og det ble som en fest hver dag, og hun grât nok en smule fordi hun snart skulle dø og fordi vi ikke fikk være sammen i âra som var pâ vei, som sâ â si sto i kø, det ene âret tett etter det andre, men det var en fest uansett, og sjokoladepapiret rydda hun nøye bort i spesielle smâ poser som hun kasta i nabooppgangens søplesjakt, og like nøye vaska hun munnene våre med en klut før mennene i leiligheten kom hjem fra jobb.

Og så døde hun ikke likevel. Hun levde videre og fikk to sønner til, og jeg veit ikke hva det var som løste seg, om diagnosen var feil, eller et vellykka inngrep ble gjort som ingen fortalte om til meg, eller hun ganske enkelt var utslitt av det dunkle livet med de mange mennene bak persiennene i tredje etasje, og så raste kiloene av henne, og så ble hun sjuk av det livet. Det er ikke usannsynlig, for like etter flytta vi i all hast fra dette stedet, fra oppgangen på hjørnet av Smålensgata og Vålerenggata, der den faens trikken gikk, og opp til Selvaaghusene på Veitvet som sto ferdige det året, i hvert fall gjorde vårt rekkehus det, og faren min ble med oss, men bare han, og i løpet av kort tid hadde hun kommet seg betraktelig og så nesten ut som hun hadde gjort før.

[13]

Jeg var så kald. Jeg var så våt. Jeg fulgte mora mi inn i stua fra terrassen og halte i losjakka foran, fikk knappene ut av for små knapphull og dro den tungt av meg, og det var faen meg et slit. Hun snudde seg med ryggen til, og da slengte jeg alle klærne i golvet, mens vannet rant ned langs låra. Jeg leita i bagen, og så fant jeg ikke ekstra skift, ikke bukse, ikke genser og skjorte, men skrivesaker fant jeg og notatbøker med kinesiske skrifttegn på omslaget og hemmeligheter skrevet inn helt tilbake fra midten av 70-tallet, og det var ingen andre som kjente til de bøkene, ikke jenta i den blå frakken engang, ikke noen i partiet, og jeg hadde hatt dem i lommene helt siden den gang i mange forskjellige jakker, i skinnjakker, militærjakker, losjakker. *Jeg trur ikke jeg greier det mer*, sto det i en av dem på ei ellers blank side, *det er så dumt*, sto det. *Det er for seint*, sto det på ei annen side, men jeg kunne ikke huske så helt nøyaktig hva det var som var for seint. Helt nederst i sekken fant jeg et pledd som var helt overflødig, fordi det ikke lenger var mulig å sove på benkene på dekket av *Holger Danske* som jeg gjorde før. I dag var du nødt til å kjøpe billett med lugar hvis du skulle med båten til Danmark om natta, og uansett var det for kaldt til å ligge under åpen himmel langt ute på havet i november, så da jeg pakka ned pleddet, var det mer som refleks.

Nå tok jeg i hvert fall pleddet opp, og da alle klærne lå gjennomvåte på golvet i en dampende haug, dro jeg det hardt omkring meg, det var tungt å puste, det ble lungebetennelse helt sikkert, det banka i hodet, jeg følte meg elendig. Jeg sparka i klærne og var så tinningsdunkende retningsløst forbanna, men hun hadde jo ikke gjort meg noen ting.

Hun la hodet på skakke og studerte meg grundig der jeg sto midt på golvet, dryppende fra håret og stramt surra inn i pleddet mitt, og hun burde ha gitt meg et håndkle da, men det gjorde hun ikke, og kanskje smilte hun litt, et ironisk smil eller hvilket smil som helst, eller kan hende var det ønsketenkning fra min side. Men uansett gikk hun inn på soveværelset og åpna et skap i et hjørne der og kom tilbake med flere plagg over armen som jeg visste hadde tilhørt faren min. Jeg hadde ikke sett dem på mange år, ikke siden jeg var ungdom og kroppen min var yngre og faren min var yngre og fylte de klærne helt. Det var en koksgrå genser med linninger i rødt og ei T-skjorte som ikke hadde noen farge lenger og ei kakibukse som en gang i tida var beige eller gråbrun som en britisk uniform i solheite kolonier, men de var bleike nå etter hardkokt vask gjennom flere tiår. Poenget var ikke fargene. Poenget var, at da jeg hadde fått de plaggene på meg med ubekvemme og keitete bevegelser, fordi mora mi denne gangen faktisk *ikke* snudde ryggen til, da satt de som støpt, som var de ment spesielt for meg. Men de var jo ikke det. De var ment for faren min og kjøpt i butikken spesielt for han en gang for tjue år siden eller mer. Og sjøl om det var godt å kjenne tørre, varme klær mot huden, var det også en merkelig følelse med plagg som satt så riktig, så naturlig, og samtidig var en annen manns klær.

– Det var det jeg tenkte, sa mora mi. – At de ville passe.

Jeg hadde ikke spist noe den dagen, ikke frokost på båten med rundstykker og dansk smør og tjukk god melk og kaffe, ikke en Kvikklunsj hadde jeg spist, ikke en melkesjokolade fra Freia Chokoladefabrik, og de tørre klærne gjorde meg døsen og svimete, løst drivende av sted, som om jeg var full.

– Kan vi spise litt, sa jeg, – har du mat her?

– Selvfølgelig har jeg mat, sa hun.

– Jamen da spiser vi, da, sa jeg.

Hun så på meg og snudde seg og åpna kjøleskapet, og jeg gikk bort til skapet over benken og tok ut asjetter og kopper som jeg gjorde da jeg var liten og flink og hun var til stede, og jeg strøyk duken glatt til begge kanter med begge hender og dro litt i hver ende og la ut bestikk på hver side av bordet. Hun stekte egg ved komfyren, og jeg hørte henne nynne, eller synge helt lavt, en rolig en med Elvis: *Are you lonesome tonight*. Hun stekte bacon og rista franskbrød i den stålblanke brødristeren vi hadde hatt der på benken bestandig og satte i gang vifta så kraftig over komfyren at det ikke var mulig å snakke. Og det var jeg glad for.

Vi satte oss ved bordet for å spise. Det var godt å sitte. Jeg lukka øynene og åpna dem igjen. Det var litt slitsomt. Det var som å knekke papp. Jeg løfta koppen og tok en stor slurk kaffe. Jeg hadde ikke smakt noe så godt på lenge.

Hun så på hendene mine. – Hva er det i veien med den hånda di, sa hun. Jeg satte koppen på skåla og så ned på høyrehånda mi. Den var rød over knokene og litt hoven. Jeg åpna og lukka den igjen, klemte den hardt sammen. Det gjorde vondt. Jeg forklarte hva som var i veien med hånda mi.

– Åh, herregud, Arvid, sa hun. – Når begynte du med den slags?

– Jeg har ikke begynt med noen ting. Han skulle ta meg. Han bestemte seg med én gang han så meg i baren.

– Det tror jeg neppe, sa mora mi.

– Det er det vel jeg som veit, sa jeg. – Det var jeg som var der.

– Det er det ingen tvil om, sa hun.

Da asjettene var tomme, sa jeg:

– Vil du ha en dram etter maten, kanskje? En calvados? Jeg prøvde å smile litt lurt, for det kan godt hende jeg sa det som en spøk, klokka var jo bare ett eller noe, og jeg skvatt litt da hun svarte:

– Ja takk, det vil jeg gjerne, sa hun. – Men den tar vi i så fall på terrassen, gjør vi ikke?

– Nå? Blir ikke det ganske kaldt?

– Vi tar dynene omkring oss, sa hun.

Javel. Vi tar dynene omkring oss. Jeg reiste meg fra stolen. Og så ble jeg ivrig og tok flaska fra enden av bordet mot vinduet og fikk to middels kjøkkenglass ut av skapet bak ryggen min og gikk ut på terrassen i kulda og satte dem på campingbordet og fylte i dem to staute drammer og gikk inn igjen. Hun sto klar med dyner. Jeg tok den ene, rista den litt, og så gikk vi ut og satte oss i hver vår stol for å drikke calvados med dynene tett rundt kroppen. Hun hadde vanter på hendene. Det var så vidt ikke frostrøyken rant ut av munnene våre.

Glassene sto på bordet. Hun tente en sigarett, det lukta svidde ullvanter, og så sa hun ingenting, og glassene ble stående, og jeg drakk ikke når hun ikke drakk. Jeg lirka den blå pakka opp av lomma og rulla en sigarett med stive fingrer. Jeg røyka uten støy og så bare rett framfor meg. Etter ei stund lente jeg meg fram for å kikke ut på den store enga som strakte seg fra baksida av tomta vår over mot en gård på den andre sida. Det gikk hester før på den enga, men også kviger til tider, der sendte jeg opp drager i gamle dager, men enga var et villnis nå, og gresset så høyt og så tett at det var ikke mulig å bevege seg igjennom hvis du ikke var rådyr på lange bein. Og harer var det der, og pinnsvin var det, og fasaner med kyllinger som var voksne nå i november, og smågnagere var det i overflod, og hauker var det på himmelen over, og musvåker som kom seilende fra ingensteder, og falker som hang stille som nagla til lufta og så lot seg falle prosjektilaktig ned, og det var ugler i eika helt stille om kvelden hvor de satt på en grein i mørket og stirra sitt bytte i hjel, og i svarte natta løp en mår mellom trærne og videre opp over taket vårt, der vi hørte den godt, og alle hadde nok å forsyne seg av.

Jeg kasta sigarettstumpen ut på plenen, og så løfta jeg glasset likevel og sa skål og tok en slurk enda hennes glass ble stående urørt på bordet, men da løfta hun plutselig glasset og sa:

– Jamen så skål da, Arvid, og tok en stor slurk og hosta kraftig og sa, nei fy faen, det var sterkt, og så sa hun: – Åh, det var godt brennevin! Tenk å ha levd så lenge og så hatt det til gode!

Så bare satt vi der. Hun var taus lenge og pusta litt hest og så jamnt at hvis du hørte godt etter, kunne det virke som om hun konsentrerte seg hardt for å få det til, og hun trakk lufta inn og slapp den ut, og etter hvert gjorde den pusten meg døsen. Vi lå i de regulerbare stolene med øynene lukka og dynene tett omkring kroppen så bare hodet var fritt og den høyre hånda fri til å gripe om glasset. Og jeg forestilte meg det, at vi så ut som pasienter med tuberkulose ved Glitre sanatorium i Hakadal i Norge, på terrassen med utsikt over dalen, eller i fjellene i Sveits. Men det var ikke tuberkulose som feilte mora mi. Ikke meg heller, om en kunne si at det feilte meg noe, det føltes sånn.

– Har du det litt bra nå, sa jeg.

Hun svarte ikke.

– Jo, sa hun.

– Det har jeg òg, sa jeg.

Så sa hun plutselig: – Husker du Lillebror?

Jeg tenkte, Lillebror, skulle jeg ikke huske Lillebror, hvorfor sa hun det på den måten, jeg ble redd, hadde noe skjedd med Lillebror som jeg ikke visste om? Han var vel i god behold, han var i Norge, han gikk det siste året i lære som blikkenslager og var annerledes enn oss andre brødrene. Han ville ikke gå på gymnaset, han hata skolen, han leste ikke bøker, han var ordblind, og jeg likte han veldig godt. Han var Lillebror, han var den som kom sist, ikke han som kom etter meg, som var død.

Og så forsto jeg hva hun mente. Ute på enga kom en hund hoppende på stive bein i det høye gresset og landa så vidt en halvmeter videre hver gang, det var en schæfer på jakt etter noe som bevegde seg i djupet under taket av tiår med kveke og tistler. Jeg hadde sett en rev hoppe på den måten en gang, og jeg tenkte da at det var et sjeldent syn, men det var det tydeligvis ikke.

– Du mener hunden?

– Ja, sa hun.

Hvert år vi kom ned med båten, sto en schæfer kalt Teddy på den andre sida av hekken og venta på Lillebror. Den visste nøyaktig når vi kom, når *han* kom, den hadde en sjette sans som kanskje bare hunder har og ble urolig helt tidlig på morgenen og ville ut av hytta og sto så med snuta i hekken til vi kom kjørende fra båten til huset her i vår egen bil eller i drosje.

Idet vi åpna bildørene, fór Teddy gjennom hekken og kasta seg mot Lillebror og la han i bakken, og Lillebror la Teddy i bakken og kom seg på beina og storma inn for å skifte. Like etter kom han ut i kortbukse og joggesko, og sammen løp de ned til stranda og hele veien til Strandby i nord og tilbake, og det var langt. To timer seinere kom de stormende opp langs hekken og var utkjørte begge to og lykkelige og slengte seg i gresset tett inntil hverandre og peste og peste. Sånn holdt de på nesten hver dag. Han elska den hunden.

– Han er jo den peneste av dere, sa hun, og det hadde hun kanskje rett i, men jeg syntes det var feil å rangere oss på den måten. Så sa hun: – Teddy kunne jo ikke leve for evig. Det er nesten synd.

– Ja, sa jeg, – det er synd, og jeg tenkte at det virkelig var sant at Lillebror var pen. En gang hadde ei dame stoppa han på Karl Johans gate og spurt om søstera hennes kunne ta et bilde av dem sammen. Flere hadde stoppa for å se på, og da han fortalte om det hjemme, ble han rød i ansiktet, men nettopp nå huska jeg bare kroppen hans mot kroppen min da han var liten og jeg bar han under armen overalt hvor jeg gikk; den fastheten, den tilliten, og de få orda han sa om igjen og om igjen, som var de eneste orda han kunne, og navnet mitt var ett av dem, og jeg ville ikke slippe.

– Han lærer aldri å gå ordentlig, sa mora mi.
– Slipp han nå for guds skyld ned. Men jeg ville ikke slippe, og han ville ikke ned.

De tomme glassene sto på bordet, hun reiste seg tungt og rulla dyna sammen i fanget og ville inn på rommet sitt til senga. Hun kneip øynene hardt sammen, åpna dem igjen, og jeg reiste meg og stilte meg i veien for henne og sa:

– Har du det dårlig?

– Ja, sa hun.

– Er det noe du vil at jeg skal gjøre for deg, sa jeg, men hun løfta hånda og sa:

– Det som skal gjøres, det gjør jeg aleine. Flytt deg, sa hun og dytta meg i brystet.

– Men mamma, sa jeg, – hvorfor kan jeg ikke få gjøre noe for deg? Jeg vil jo det.

– Det er vel ikke mer enn rimelig, sa hun, – men det blir det ingenting av. Og så sier vi ikke mer om det.

Og så sier vi ikke mer om det, og det brant bak øynene og brant i beina, og hun skøyv meg til side og gikk inn i stua og videre inn i soverommet og lukka døra, og det ble helt stille.

Jeg gikk etter og ble stående og glo inn i døra. Jeg snudde meg og så inn i speilet som hang der på veggen mot badet og likte ikke det jeg så, likte ikke de øynene. Jeg ble rastløs. Jeg tok de to glassene fra bordet ute og satte dem på benken og flytta dem videre ned i vasken og fylte i med varmt vann fra springen og ei stripe av såpe, og jeg vaska opp glassene, og koppene, og asjettene etter frokosten vaska jeg, og alt annet jeg fant, vaska jeg opp og satte på plass i skapene og tørka nøye med en klut over benken, tørka voksduken på bordet, og så var det ikke mer å gjøre.

Hun hadde gått og lagt seg i en sånn hast, at hun ikke fikk med seg boka hun leste, *The Razor's Edge*, og det var helt uvanlig, men hun ropte ikke for å be meg hente den.

Jeg gikk bort til det store vinduet og dro gardinet til side og kikka ut over enga. Jeg kunne ikke se et eneste dyr, en eneste fugl av noen som helst interesse. Under skyene kom sola lavt inn over det høye, bleike, visne gresset og pressa lange skygger ut bak alle ting av litt størrelse, og helt borte på den andre sida av enga, der gården lå, kom virvlende hvit røyk fra pipa på våningshuset. Låven var kritthvit i det blendende lyset. En mann kom kjørende på knallert langs veien mot gården. Han hadde hjelm på, men det gikk ikke fort, og det blinka i speilet han hadde på styret, og den putrende lyden fra den lille motoren kom drivende skarp gjennom høstlufta og kunne høres helt tydelig sjøl inne bak vinduet hvor jeg sto og holdt i gardinet. Jeg gikk bort til støvlene jeg hadde plassert inntil den varme buldrende ovnen og bøyde meg og la et par kubber inn for å holde flammene ved like og dro støvlene på føttene enda de fortsatt var fuktige, og jeg snørte de lange lissene stramt rundt anklene og gikk ut og over terrassen og ble stående i den kalde skeive novembersola på plenen foran sommerhuset.

Jeg så bort over enga. Røyken kom fortsatt fra pipa, men knallerten var borte. Jeg snudde meg og gikk langs hekken og bort til stien som førte inn til Hansens tomt. Jeg bøyde meg djupt og dukka inn gjennom åpninga i hekken, og ute på den andre sida kom jeg fram i en bue rundt hytta hans, som knapt var større enn et koloni-hagehus, og der fant jeg han foran den lille verktøy-boden, stående bøyd over en påhengsmotor han hadde skrudd fast til sagkrakken. Han hørte meg komme og retta ryggen og snudde seg halvt med en skiftenøkkel i hånda og smilte sitt merkverdige, fine og tannløse smil.

– Fy for satan som du likner på faren din, sa han, og stemmen hans fikk lufta til å vibrere.

– Jeg veit det, sa jeg.

– Særlig med de klærne der, sa han. – Jeg trodde et øyeblikk, ja du forstår hva jeg mener.

Jeg forsto det, men alle svar jeg kunne gitt var brukt opp for lenge siden. Han satte seg på kanten av terras-sen, la skiftenøkkelen fra seg med det tørre, lille klirret bare skiftenøkler lager og tørka hendene på en helt oransje klut, som han så stakk ned i baklomma.

– Jeg får aldri det skittet i orden igjen, sa han.

– Hva er det som feiler den, da?

– Det vet jeg faktisk ikke, sa han. – Jeg har prøvd alt. Den vil bare ikke gå. Så da blir jeg vel nødt til å ro.

Hansen var ingen atlet. Han så vel heller ut som Andy Capp, men på en elskelig måte. Med jamne mellomrom satte han åleruser i åen, og noen ganger fiska han rød-spette, og da brukte han en liten båt, en pram nesten, med denne påhengsmotoren skrudd fast i akterenden. Han hadde hatt den i alle år. Han kjøpte aldri noe nytt.

Han foretrakk de enkle hjelpemidlene, antikk påhengs-
motor, liten knallert. Gamle ting, brukte ting, ting med
ukomplisert mekanikk, ting han hadde kjøpt av folk
han kjente fra jernbanen. Å kjøpe nytt var for han helt
meningsløst. Han hadde aldri hatt penger, og jeg trur
ikke engang han tenkte på det som interessant.

– En skal være forsiktig med fysisk aktivitet, det er
klart, sa jeg, og det var ikke mye til replikk, men det
var alt jeg hadde på lager, så da ble det jo stille, og så
sa Hansen:

– Du, Arvid, min venn, si meg en ting, er det riktig
som jeg hører, at du skal skilles?

– Ja, sa jeg. – Det er nok riktig det.

– Det var som satan. Jeg kondolerer.

– Jeg veit ikke helt, sa jeg. – Jeg trur ikke nødven-
digvis du dør av det.

– Noen dør av det, sa Hansen, – det vet en jo, så da
henter jeg en håndbayer til oss hver, sa han. Han reiste
seg med et lite stønn og gikk inn i huset sitt gjennom
en løst sammensnekra glassveranda, den oransje kluten
stikkende opp av baklomma som et iltert flagg, et jern-
baneflagg, tenkte jeg, til bruk ved eksplosive transpor-
ter, av tankegods kanskje; Lenin i togkupeen på vei
hjem fra eksil i Genève, mot Finlandstasjonen i Petro-
grad: Varsko her! Varsko her! ropte Hansen, men så
gammel var han jo ikke, at han hadde vært med på det.
I stedet kom han raskt tilbake med en slaveøl i hver
hånd. Hansen rakte meg den ene flaska som var dogg-
kald i hånda, og jeg sa:

– Lenge leve folket, og så sa jeg: – Ta imot der nede!
Og vi tok en lang slurk hver, og da sa Hansen:

– Det gjorde vel ingen skade.

Vinden trakk inn i kroppen der jeg satt på kanten av terrassen, det var kaldt mot hendene. Trærne omkring oss var nakne nå, hassel og eik og bjørk var nakne, og pil og or, og tamme plommetrær av ukjent alder, og flere slag til, og alle var blåst reine for løv. Det blåste fra nord, fra Skagen og fra islandet Norge med gråstein og granbar der faren min var på vei inn i skogen langs stiene han kjente, fordi han ikke visste hvor han skulle gjøre av kroppen sin.

Hansen vinka meg vennlig opp fra sittende stilling og sa:

– Kom, så går vi inn i Crystal Palace. Der kan vi kaste jakkene, om vi vil. Og det kunne vi. Han hadde en stråleovn som var glødende rød bak grillen, og den sendte bølger av varme ut i rommet, og vi satte oss i hver vår hvite plaststol med hver vår grønnskimrende flaske slaveøl i hånda. Jeg løfta flaska til munnen og tok en god slurk, og med calvadosen nede i magen som ei lita kule, føltes den slurken bedre enn noe annet jeg hadde kjent på lenge. Jeg kunne begynne å drikke, tenkte jeg, drikke ofte, kanskje hver dag og bare ha det som det her og lukke øynene og kjenne alkoholen stryke gjennom kroppen. Jeg lukka øynene. Det var stille i Crystal Palace. Det var varmt. Bare et lavt brus fra ølflaskene kunne høres og noen måker over trærne.

– Moren din, sa Hansen.

– Ja, sa jeg, men jeg åpna ikke øynene.

– Hun er syk, sa Hansen.

– Det veit jeg vel, sa jeg. – Det er derfor jeg er her nå, og det ble stille, han sa ingenting, og så sa jeg:

– Det er jo derfor jeg er kommet. Hvorfor skulle jeg ellers reise ned hit på denne tida? Det er jo ikke akkurat sommer, sa jeg. – Jeg hadde vel ikke tenkt å ligge på stranda og sole meg.

– Nei, det er jo ikke nettopp sommer, sa han.

Jeg åpna øynene. På veggen hang et stort bilde i glass og ramme av Christian Radich for fulle seil på bøljan blå, i Biscayabukta kanskje, eller i Nordsjøen på vei mot Newcastle. Hansen hadde fått det bildet av mora mi for mange år siden, til 50-årsdagen. Ved sida av bildet hang ei bokhylle helt full med romaner av John Steinbeck, en vakker tobindsutgave av *Øst for Eden* eller *Øst for Paradis* som den het på dansk, og i enden av rekka sto *Tre kamerater* av Erich Maria Remarque. Den hadde jeg lest den gangen før jeg fylte tjue, og en som het *Himmelen gjør ingen forskjell* hadde jeg også lest. Den handla om en racerkjører og kvinnen han elska som hadde tuberkulose og nå holdt til i et sanatorium han stadig vekk besøkte oppe i de sveitsiske alpene. *Bella Vista*, het sanatoriet. Nesten alle bøkene til Remarque hadde en kvinne med tuberkulose. Egentlig var jeg litt lei det.

Jeg reiste meg med ølflaska i hånda og gikk bort til den lille bokhylla og tok ut *Tre kamerater* og så på det fine danske smussomslaget med en fargelagt tegning av *Landeveisspøkelset Karl*, eller *Karl, das Chaussegespenst*, som det sto i tyskboka på gymnaset, som var navnet på racerbilen de eide, de tre kameratene det var snakk om i boka. Og så kvinnen da, med tuberkulose, den fjerde kameraten, på samme måten som i *De tre musketerer*, som heller ikke handla om tre personer, men om fire, og den fjerde var D'Artagnan.

– Hvordan har hun det der inne? sa Hansen.

– Hun var sliten, sa jeg, – hun har gått og lagt seg.

– Det kan man forstå. Ville du tatt det ille opp om jeg gjorde det samme?

– Gjorde hva da, sa jeg.

– Gikk og la meg litt nedpå?

– Er du sjuk du også?

– Nei, det er jeg vel ikke. Men trett, det er jeg, og ikke så ung som du er.

– Nei, så klart ikke, sa jeg. – Bare legg deg, du. Jeg tok to skritt mot døra og tenkte, vil han at jeg skal gå?

– Jamen, da gjør jeg det, sa Hansen, – jeg er glad for at du ikke tar det ille opp, og så reiste han seg og tømte resten av slaveølen i én slurk og sa: – Du kan jo bare sitte her inne i varmen. Du er alltid velkommen her. Og så forsvant han inn i soverommet bak Crystal Palace med den revolusjonære kluten hengende fra lomma bak.

Alltid velkommen her. Jeg sto med flaska i hånda. Jeg visste ikke om jeg skulle gå, eller om jeg skulle sette meg igjen og kanskje lese litt i *Tre kamerater*. Men det var for tett der inne nå og for varmt og noe feil med den boka. Jeg følte meg lurt.

Jeg gikk fort ut av Crystal Palace, tok flaska med meg, jeg kan likså godt reise hjem, tenkte jeg. Det er ingen som vil ha meg her.

Jeg gikk over den lille terrassen som Hansen hadde bygd og forbi sagkrakken med påhengsmotoren skrudd fast i toppen, og da jeg snudde meg og kikka tilbake, så jeg en fasan stå helt urørlig i den stripete skyggen av en naken busk, med de merkelig lange halefjærene pekende mot veien, og den var brun og grønn og rød og hadde en stillhet omkring seg jeg syntes var truende. Bare et skinnende øye bevegde seg så vidt i det røde feltet og fulgte hvert eneste skritt jeg tok, og jeg ble redd for det øyet.

– Faen, sa jeg høyt. – Det er et tegn, og jeg kjente øyet som et sviende punkt i ryggen på vei gjennom hekken.

[15]

Det var lørdag, det var rett før midnatt. Jeg kom ned langs Trondhjemsveien på vei mot byen etter feiringa av mora mi sin 50-årsdag. Jeg hadde bestemt meg for å gå hele veien til Carl Berners plass, sjøl om jeg fint kunne tatt T-banen dit på under kvarteret, men jeg måtte få den festen ut av kroppen.

Det var langt til Carl Berners plass, kvelden var mørk, men lyktene lyste langs veien, og noen var gule og noen nesten oransje, og noen hadde et kaldt, blått skjær.

Jeg hadde gått den veien i mange år, men før jeg flytta hjemmefra, gikk jeg nesten alltid i den motsatte retninga, på vei *ut* av Oslo, fordi jeg ville ha trafikken med meg og ikke mot meg på den sida av veien jeg foretrakk å gå på, som var høyre side, mens jeg i motsatt tilfelle forestilte meg at alle de som satt i bilene ville se ut på meg gjennom vinduene og til og med kanskje rulle vinduene ned og peke på meg og forestille seg at jeg var den eneste personen i hele verden som kom gående med livet sitt i feil retning.

Men jeg bodde ikke hjemme hos foreldrene mine, jeg hadde ikke bodd der på tre år. Nå gikk jeg mot byen i høstnatta etter mora mi sin 50-årsdag, mot Oslos indre kvartaler, forbi Årvoll og videre under

rundkjøringa i Sinsenkrysset og ned forbi Torshov-
dalen og Rosenhoff skole som lå grå og trist i enden av
ei gate til høyre. Jeg var elev der i to år før jeg gikk
videre til gymnaset. Bygninga så ut som et fengsel fra
1700-tallet, som Bastillen i Paris, kunne en forestille
seg, og tida på den skolen hadde ikke vært til mye
glede. Men jeg la skolen og de åra bak meg og fortsatte
videre ned den lange bakken mot Carl Berners plass.

Da jeg endelig var framme, tenkte jeg som jeg ofte
gjorde den gangen, at den var en sånn fin plass, som ei
sol med gater strålende ut til alle kanter, at den var som
en plass kunne være i tida mellom krigene, i en stor by,
som Berlin kanskje, som Erich Kästners Berlin i *Emil
og detektivene*, eller i Zürich, eller i Basel, eller i Buda-
pest, for alt jeg visste, hvor trikkene og busstraseene
kryssa hverandre i et nøye uttenkt mønster av stål-
blanke buer i brosteinene, og over meg i lufta, høyt
heva over trafikken i alle retninger, over trikkehjul og
gummihjul, løp et virvar av stramme kabler spent ut
fra bygningene på den ene sida av plassen via vakre
blanke metallstolper tvers over til den motsatte sida og
spent fast i bygningene der. Det var som et tak du
kunne gå tørrskodd under. Det føltes sånn.

Hele plassen var en egen verden, med avenyen
Christian Michelsens gate mot vest i brei majestet, de
grønne lindetrærne snorrett på hver side, eller som nå
i denne kvelden, med greinene nakne og grå mot den
grå kvelden. Mot øst dro Grenseveien opp gjennom
svingen i bakken bak T-banestasjonen og ble borte der,
og det var lysreklamer i Grenseveien langs bygningene
mot plassen, og rundt hjørnet mot Finnmarkgata var
det lysreklamer, og skrått over plassen mot bensin-

stasjonen var det også lysreklamer, og til høyre eller venstre, alt etter som hvilken vei du kom, lå Ringen kino med lysende striper av røde neonrør over inngangen fra Trondhjemsveien, i det samme kvartalet som bokhandelen lå, men etter filmen kom du halvblind ut i Tromsøgata kloss inntil Bergersens konditori.

På vei over plassen følte jeg meg allerede bedre. Det suste ikke lenger i hodet. Det var seint, det var natt med et virvlende mørke omkring meg, det var virvler av snøfnugg i vinden fra nord og en slunken trafikk ned veiene mot sentrum. Så da gikk jeg der, midt i den breie gata så lenge jeg ville med god avstand til begge sider, over brusteinsdekket og trikkeskinnene, det var min plass, det var min storbyplass, kalt Den Røde Plass før Krigen som den eneste av sitt slag på østsida av elva, kalt Den Røde Plass på syttitallet, fordi mange mente at trafikklysene der nesten alltid hadde den fargen.

Jeg låste meg inn i oppgangen, der en frisk duft av Zalo møtte meg i trappa i første etasje, og i annen etasje vrei jeg nøkkelen om i låsen og gikk inn i leiligheten. Jeg lot døra gli helt forsiktig igjen bak ryggen min, så ikke annet kunne høres enn et dempa knepp i smekklåsen.

Jeg kjente med én gang at hun var der, kjente det i magen at hun var der, at det bølga i magen, at det dirra i magen, og for å hindre den følelsen fra å forsvinne, for å holde den fast så lenge som mulig, gikk jeg rett ut på kjøkkenet i sokkelesten og sa ikke *hei* eller noe annet mot den halvåpne døra til stua, der sovesofaen sto bak bokhyllene.

Jeg hadde gitt henne et sett med nøkler. Hun kunne komme og gå som hun ville, når hun ville. Gjøre lekser her, når hun ville. Komme ned med T-banen helt tidlig før skolen begynte, om hun ville, og spise frokost med meg. Hun kunne ta pause fra familien sin og gråte her, ta pause fra T-banereisene til skolen, til sentrum, fordi hun alltid måtte ut av vogna på Økern stasjon og løpe bak leskuret og kaste opp, for så å kaste opp igjen på Hasle stasjon. De gangene hun lå over hos meg, og jeg fulgte henne til trikken ved Carl Berners plass og så ble med henne helt fram til skolen, måtte hun kaste opp bak søylerekka ved Deichmanske bibliotek. Jeg hadde stått en gang og venta inntil T-banestasjonen rett ved blokka hun bodde i og sett gjennom vinduet at mora hennes boksa henne i ansiktet da hun tok på seg feil kåpe, som var den blå konfirmasjonsfrakken til broren, på vei ut for å møte meg og gå på kino, for å se *Klute* med Jane Fonda og Donald Sutherland i hovedrollene. Den var satt opp igjen på Frogner kino. Jeg hadde sett den før, men det hadde ikke hun.

Jeg la mine egne nøkler lydløst på benken og tok lydløst ei flaske appelsinjuice fra kjøleskapet og fylte opp et glass og satte meg ved bordet der boka lå, som jeg leste i nå, *De elendige* av Victor Hugo. Jeg var ferdig med det første bindet og godt inne i det andre.

Jeg drakk juicen mens jeg bladde tilbake i boka for å huske hva det var jeg hadde lest den dagen, i senga tidlig på morgenen, det var lørdag, jeg hadde ligget under dyna og lest til bortimot halv tolv med boka på puta. Det var ikke det jeg pleide å gjøre om morgenen, men jeg kjente det var viktig å få med meg så mange sider som mulig før dagen tok fart og tidspunktet kom da jeg var nødt til å reise med banen opp Groruddalen de seks stasjonene til mora mi sin 50-årsdag.

Jeg kledde av meg på kjøkkenet og la klærne på en av stolene og gikk ut på det lille badet og vaska hele kvelden og festen ut av huden, pussa tennene og lista meg barføtt inn i stua mot sovesofaen bak bokhyllene i mørket og rundt bordet med flere bøker i flere stabler. På veggen hang bildet av Mao ved skrivebordet, men jeg kunne ikke se han nå. Jeg sneik meg forsiktig inn under dyna. Den sovesofaen var ikke bygd for to, men vi trengte ikke mye plass, og jeg tenkte at hun bare skulle sove videre med armene mine omkring seg og våkne langt ute i natta og lure på når det var jeg egentlig kom. Men hun var så varm under dyna, og jeg var kald, og hun våkna med én gang og snudde seg og sa:

– Er det deg?

– Det er klart det er meg.

– Sier du det, ja?

– Gi deg, jeg blir jo sjalu.

– Blir du?

– Det blir jeg vel, sa jeg.

– Så fint.

– Det er jo bare du og jeg, sa jeg, – det er jo bare du og jeg mot røkla.

– Åja, det er sant, sa hun, – sånn var det. Du og jeg, og du og jeg, og så partiet ditt. Som jeg skal bli medlem av.

– Ja, det skal du. Men du er litt ung ennå.

– Kanskje det. Jeg føler meg ikke ung.

– Jeg veit det, sa jeg, – og på en måte er du ikke ung, men hun *var* ung. Flere år yngre enn meg, og jeg var også ung, og jeg snudde meg halvveis over i sofaen, gnei hendene varme og sa: – Kjenn der nå, og så tok jeg på henne med en helt spesiell bevegelse, og da lå hun fullstendig stille, og så sa hun med lav stemme:

– Fy fader, det var godt, og akkurat den tingen, akkurat *det der*, var noe bare hun og jeg hadde sammen, som ingen andre hadde, som bare hun og jeg visste om, men vi var så unge den gangen, og det var ikke mye vi visste.

– Men du, vi har ikke tid til det der nå, sa hun. *(– Å fy fader, det var godt.)* – Hvor langt har du kommet egentlig?

– Ganske langt. Mye lenger enn da du var her sist.

– Å, det var bra, sa hun, og vi la oss på ryggen, skulder ved skulder, hånd i hånd, og så opp i taket, og vi kunne ikke se taket fordi det var stummende mørkt i rommet, og det var så vidt vi fikk plass på sovesofaen, hun klemt tett inntil veggen, og jeg med det venstre beinet dinglende utfor kanten. Og så begynte jeg å fortelle fra omtrent det stedet vi slapp den forrige gangen vi lå her på den måten, der vi slutta fordi jeg ikke hadde lest lenger, og hun sa jeg måtte forte meg å lese videre, for det var så mye bedre å høre meg fortelle enn å lese sjøl, hun så bilder da, som hun ikke fikk fram når det var lyst, og da leste jeg jo videre så fort jeg kunne. Og nå lå vi her sammen igjen som alle gangene før, og jeg fortalte om Jean Valjean, som ble sendt til galeiene for å ha stjålet et brød. Men han greide til slutt å rømme under en brann og ble fri og skifta navn og identitet, og som en annen mann steig han alle gradene helt opp til borgermester. Men så måtte han flykte for annen gang fordi den hatefulle, iherdige blodhundaktige politiinspektøren Javert hadde kjent han igjen.

Det var 1832 i boka, og denne kvelden fortalte jeg om Jean Valjean som kom ravende gjennom katakombene under Paris, kloakkene under Paris, med studentradikaleren Marius bevisstløs på ryggen, det elska adoptivbarnet Cosettes kjæreste, og over dem i gatene var det revolusjon, det var fjerdestanden som sloss i gatene, de utålmodige, det var deres tur nå, det var *le peuple* som gjorde opprør, det var folket, det var *pøbelen*, og pøbelen, den var som oss, *de* var som *vi* var, eller heller var det vi som ville være som dem. Og pøbelen bygde barrikader fra hus til hus i trange gater, det var før avenyenes tid, avenyer som seinere ble bygd og gjort så breie at det ikke lenger var mulig å bygge barrikader fra den ene sida til den andre, som jo er hele vitsen med barrikader, men i stedet ga rikelig plass til armeen når den rykka fram i store kolonner for å slå ned det minste forsøk på oppstand, som jo er hele vitsen med avenyer.

Hun sovna ikke som et barn ville sovna, om kvelden når du forteller historier. Hun var lys våken med blå øyne i mørket, med varme hender og grådig munn, og hun sa:

– Så tungt det må ha vært å bære Marius hele den lange veien gjennom kloakken, sjøl om Jean Valjean var sterk.

– Ja, det var det helt sikkert. Det hadde aldri i verden jeg greid, sa jeg.

– Det skal du ikke være så sikker på. Du er jo ganske sterk du.

– Syns du det?

– Det er vel ikke noe jeg syns, sa hun. – Det er vel noe jeg *veit*, og det likte jeg godt at hun sa.

Da jeg var ferdig med dagens tekst eller kveldens tekst eller nattas tekst, om en vil, og var temmelig utkjørt og trøtt, da sa hun:

– Kan vi spise litt nå?

– Jeg må nok sove, om det er greit for deg. Jeg er dødssliten etter den festen.

– Vil du fortelle meg om festen, kanskje? Om hvordan det gikk? Likte mora di gaven?

– Nei, sa jeg.

Jeg hadde ikke kjøpt noen gave. Jeg hadde skrevet en tale, men da jeg skulle holde den, var jeg full.

– Neivel, sa hun. – Det er helt i orden for meg, men jeg trur jeg er nødt til å spise litt, skjønner du. Det er rart, men jeg blir så sulten av å ligge sånn og lytte.

– Bare spis du, sa jeg.

– Bare sov du, sa hun og klappa meg på kinnet, og hun klatra over meg på sofaen, og før hun var ute på golvet i mørket, helt lys og helt smal og veldig ung, var jeg allerede langt borte.

16

Den morgenen hadde jeg ligget i senga og lest Victor
Hugo til det ikke var mulig å ligge der lenger uten å
skjemmes, og så sto jeg opp og dusja og gikk barbeint
og våt ut på kjøkkenet og ble stående foran bordet og
lese talen jeg hadde liggende der. Jeg hadde lest den
igjennom flere ganger før. Jeg hadde skrevet den talen
i stedet for å kjøpe presang, det var en idé jeg hadde, at
jeg skulle rekke ut hånda, og ikke bare en idé, jeg
mente det virkelig. Jeg skulle si noe om elva Rio Grande,
om hvor stor den var, at den skilte kontinenter fra hver-
andre, kulturer fra hverandre og var så brei at det var
vanskelig å komme seg fra den ene bredden til den
andre, fra USA til Mexico, om du ikke var revolver-
mann på flukt fra loven og helt desperat, og da var det
ikke rart at det var vanskelig for henne og meg, når vi
sto sånn på hver vår side som vi hadde gjort og ikke
greide rope til hverandre engang, fordi det var så langt.
   – Den heter Rio Grande, ikke sant, skulle jeg si.
– Rio Grande. Det betyr *stor, svær, diger,* skulle jeg si,
og så skulle jeg si, de gode nyhetene mamma, er at den
elva har tørka inn. Det er en kjempeoverraskelse, alle
eksperter er helt bomba, det er bare noen pytter igjen,
så nå er det lett å komme seg over, det har nemlig ikke
vært noe regn i høst, og ikke i sommer, og ikke i vår

heller, det skulle jeg si og le, så da er jo ingenting for seint mellom oss, da kan vi gå rett over eller møte hverandre på halvveien og bare bli littegrann våte på beina, og det gjorde vel ingenting. Det var det jeg skulle si, og det var det jeg hadde skrevet på de to A4-arkene.

Jeg dro ut fra kottet alle klærne jeg hadde og la dem i ei rekke på golvet. De var forbausende få, men jeg kunne ikke komme til 50-årsdag i den slitne militærjakka jeg pleide å ha på meg. Jeg plukka ut den mørke jakka av tweed som mora mi hadde gitt meg i gave en gang jeg var nødt til å se anstendig ut, i begravelsen til en av de mange brødrene til faren min. Han var den av onklene mine som ble boende i leiligheten på Vålerenga etter flukten til Groruddalen. Det hang en eim av enslig mann mellom veggene der, av den samme menyen uke etter uke, år etter år, av det samme merket med kaffe og nøyaktig samme skosverte og oppvaskmiddel, av samme undertrøyer og truser kjøpt inn til bare én person i den midterste skuffen, av sjokolade som var sprø og hvit av elde i den øverste, og i den nederste skuffen lå brune sokker bretta pent sammen og kjøpt i Frelsesarmeens utsalg hvert eneste par. Han bodde der til han døde på sofaen i den dunkelt belyste stua mellom mange møbler, med de kremgule persiennene sluppet ned så bare trådtynne striper av lys slapp inn. Men det var mer enn to år siden den begravelsen, og jeg hadde ikke brukt jakka etter det.

Jeg hekta kleshengeren med tweedjakka over toppen av dodøra, bretta de to A4-arkene sammen til A5-størrelse og stakk dem ned i innerlomma og gikk ut i oppgangen én etasje ned i strømpelesten til postkassa og henta ei bokklubbok i brun pakke av papp; *Klokkene ringer for deg,* trur jeg det var, av Ernest Hemingway, det første bindet av to, da, i så fall, og henta i samme slengen de to avisene og den grønne giroblanketten for innbetaling av husleie som fortsatt var på 170 kroner.

Det var lørdag. Jeg tok T-banen de få stasjonene fra Carl Berners plass, Hasle, Økern, Risløkka og så videre opp; det røde høyhuset til Siemens og Østre Aker vei til høyre nede i dalen og jernbanelinja til høyre og skiftestasjonen til høyre ved Alnabru, der godsvogn etter godsvogn kom trillende veldig sakte på blanke skinner i mange parallelle rekker eller sto der bare merkelig stille i kø, helt lukka om seg sjøl og venta på tur.

Sola hang fortsatt i vest over åsen, men i dalen var det tussmørkt allerede, det var den verste tida på året, bare mørkt og mørkt og vått, og skyene over skiftestasjonen sendte ullent lys tilbake mot lyktene under, men på bakken mellom jernbaneskinnene var det umulig å finne veien.

I alle åra jeg bodde på Veitvet hadde jeg hørt fra det åpne vinduet hvordan godsvognene bevegde seg der borte i natta, hørt lyden av hjul støpt i stål mot skinner av stål og den forunderlig lange og klagende sangen fra bremsene, for så like etter å høre vognene klikke på plass i hverandre, hånd i hånd, tenkte jeg den gangen, skulder ved skulder, en trøstende lyd i det stille mørket.

Jeg reiste meg fra setet før Veitvet stasjon og gikk mot dørene. Det sto en mann der jeg kjente så vidt og hadde hilst på i mange år. Han var faren til en gutt i klassen til broren min, til han som kom etter meg, ikke han som kom sist.

Mannen hilste, og jeg hilste.

– Hei, du, sa han, og jeg sa:

– Hei, du.

– Du har jo flytta, sa han, og det sa jeg at jeg hadde, – men du skal vel av her likevel, skal du ikke, sa han, – på denne stasjonen, og det sa jeg at jeg skulle, og T-banetoget stoppa, og dørene slo opp. Og så gikk jeg ikke ut. Han gikk ut, men jeg ble stående med hånda rundt stanga til dørene smalt skramlende sammen. Han stoppa på utsida og snudde seg og kikka forundra inn gjennom vinduet i døra, og så løfta han plutselig neven og dunka i døra og ropte noe jeg ikke kunne høre hva var, men ansiktet hans var stramt og forvridd. Av en eller annen grunn ble den mannen forbanna, det er sant, han ble helt utrulig forbanna.

Jeg la munnen inntil ruta og sa ganske stille med tydelige munnbevegelser:

– *Dra til helvete. Din idiot*, og jeg tenkte, det er faen bare tegnspråk som mangler, og da løfta jeg hendene og gjorde noen bevegelser som jeg trudde kanskje så ut som tegnspråk.

Mannen ble stående med hendene mot døra, og T-banetoget begynte å kjøre, og da måtte han jo slippe, og jeg satte meg på setet og ble sittende med dunkende tinninger og pusten kilt fast helt oppe i halsen de fire stasjonene til Grorud. Der gikk jeg av og trappene opp fra perrongen og stoppa på toppen med Narvesen-kiosken i ryggen mot øst og utsikt til skinnene mot vest og rulla en sigarett og røyka den helt inn til fingertuppene før jeg gikk ned til perrongen på den motsatte sida og venta på toget som skulle komme bare fem minutter seinere. Det gjorde det òg, og så gikk jeg på.

Jeg satte meg ikke, men holdt hendene hardt rundt stanga og beina ut til sidene, som om vogna var et skip med slagside og krenga helt skeivt fra styrbord til babord og dunka tungt mot bølgene som skip i Nordsjøen gjør gjennom dårlig vær, og denne gangen gikk jeg av på Veitvet stasjon.

Jeg kom ned trappa og ut av stasjonen bak shoppingsenteret og bowlingbanen der de samme vanlige typene hang sløvt rundt inngangen hvor de alltid hadde hengt og røyka sigaretter med det ene og det andre blanda inn i tobakken og prata åndssvakt, innholdsløst tull, og noen sto kledd i de samme trøtte afghanerpelsene de alltid hadde hatt, trukket tett omkring brystet i den rå lufta.

Det føltes plutselig dumt å skulle holde en tale for bare oss fem i familien, så gjennomsiktig, så intimt. Mora og faren min hadde jo ingen venner. Jeg kunne ikke huske ett tidspunkt fra barndommen og oppveksten da det kom folk på besøk som ikke var familie, tanter, onkler, den slags, bestefaren min på Vålerenga som var baptistpredikant i helgene og skofabrikkarbeider resten av uka og etter det pensjonist til han falt over ende det samme året og samme uka som kong Haakon den sjuende døde, eller at mora og faren min sa de ble borte en kveld og kom seint hjem fordi de skulle treffe venner ute på byen. På kafé eller kino, eller hjemme hos de vennene; på Lambertseter eller Bøler, Oppsal, sånne steder, hvor de godt kunne ha kjent folk tatt i betraktning hvem de var og hvor faren min jobba. Men de gjorde ikke det, de var ikke venner med folk på de stedene eller noen som helst andre steder som jeg visste om. Det var brødrene til faren min eller tanta mi på Nes som en sjelden gang kom innom med ektefellene sine, og den barnløse søstera til mora mi kom annenhver jul opp fra København og var overklasse med mannen sin, bilimportør og smågrisete eier av et smalfilmkamera han brukte til alt mulig, og besteforeldrene mine kom opp med hardere håndflater fra en annen mer puritansk by i det samme landet, på samme vis, med båt, grå i håret, grå i tøyet og forblåste på en merkelig grå måte der de sto på brygga og venta på faren min som kom ned langs Trondhjemsveien i ei sjelden drosje for å hente dem, og noen ganger satt *jeg* også i den drosja, og da virka de så små ved sida av de store koffertene sine.

Så kom jeg ned den bratte bakken forbi den fine, røde telefonkiosken, der vi kjørte rattkjelker med livet som innsats og blå toppluer trukket ned over ørene i en barndom virvla bort i tid, og forbi svingen ned til Rådyrveien og så videre inn langs rekkehuset, bort hellegangen og til slutt inn gjennom døra til leiligheten. Der inne var tapetet i entreen det samme som det alltid hadde vært, det samme speilet, den samme hattehylla som ingen noen gang hadde brukt til annet enn å stue bort esker på, med bortglemt innhold, bortglemte votter og bortgjemte skjerf. Jeg dro døra igjen bak meg med et smell, men smellet drukna i bølgen av lyd som kom rullende mot meg i entreen. I det lille kjøkkenet til venstre så jeg slektninger fra to land, fra landsbygd og by i dem begge, stående mellom bordet og komfyren og noen satt faktisk på benken på hver sin side av oppvaskkummen, og i stua var det naboer i fleng fra vårt eget rekkehus og flere omkring, og i trappa, som duer i et dueslag, satt mennesker jeg aldri hadde sett. De hadde glass i hendene og sigaretter mellom fingrene, og det var latter og snakk i alle kroker. Den gamle Selvaagleiligheten hadde est ut til alle sider så langt den bare kunne.

Jeg fikk et velkomstglass i hånda av tanta mi fra København. Hun virka fortsatt overklassete på en doven måte og så sexy ut i den trange blanke kjolen, enda hun var over førti og litt for glad i flaska. Jeg hadde aldri likt henne. Hun fikk oss andre til å se ut som idioter.

Det var champagne i glasset, og jeg kunne ikke fatte hvor de fikk penger fra til champagne, men jeg helte den rett ned og tok et glass til fra fatet på skjenken, og da vi like etter skulle sette oss ved bordet bak hvert vårt bordkort, hadde jeg fått i meg enda ett.

En nabo reiste seg og ønska velkommen til bords, han kalte meg alltid *Arvars* av en eller annen grunn, men det var godt ment og ganske hyggelig, faktisk, vi likte hverandre, jeg kunne godt være *Arvars* for han, om han syntes det var morsomt. Han var lastebilsjåfør med et lidenskapelig forhold til travhester, han hadde eid en sjøl, før han flytta hit, og på vegne av mora mi og faren min, som burde tatt ordet, ønska han velkommen til denne 50-årsdagen og feiringa av henne som de likte så godt, som var én av dem alle og bodde her, men samtidig ikke var helt sånn som dem, og det var kanskje nettopp det de likte. At hun sa andre ting enn det de var vant til å høre, om andre fenomener, som han uttrykte det, og det gjorde hun sikkert fordi hun var dansk og leste mange bøker, og gudskjelov for det, sa den hyggelige naboen vår, for de kunne jo til tider bli ganske ensformige, de samtalene som dro seg bort langs trappene etter middagen, om de samme treige tingene om og om igjen, sa han. Det kunne ikke benektes. Da var det godt å ha mora mi sittende der ute, med sin Carlton sigarett, sitt hemmelighetsfulle smil og sin overraskende mørke latter. I tillegg var hun ikke finere på det enn at hun hadde gode råd å gi angående det innvikla apparatet med glassballongen som denne naboen hadde stående ved vasken på kjøkkenet og noen ganger i bryggerhuset, i den gamle stampen nede i kjelleren hvor det putra og gikk opptil tre ganger i året, og han visste ikke hvor den kunnskapen kom fra, om det var noe en kunne lese seg til i tjukke bøker på fremmede språk. Hele det L-forma bordet lo, og jeg også lo, ganske høyt, og mora mi rødma ikke i det hele tatt, men satt helt stille på stolen med sitt smil om munnen og hendene i fanget ved sida av mannen sin, altså faren min, som smilte sjenert inn i veggen på den andre sida av rommet.

Alt dette og mer til sa naboen som kalte meg *Arvars*, som jeg likte så godt. Jeg hadde aldri hørt han snakke på den måten før, og heller ikke seinere, han var spirituell og morsom og la seg kraftig i sælan og fikk godt betalt. Latteren bølga fram og tilbake langs bordet, og da han runda det hele av med en vits som ikke hadde noe med noenting å gjøre, som vi hadde hørt ca. femogtjue ganger før, den om lappen og lappen, den var ganske grov faktisk: hva sto på lappen?, tok han glasset og heva det mot taket og utropte en skål for mora mi, og da heva alle glassene mot taket og senka dem igjen og drakk, og det var vel jeg som drakk fortest av alle.

Flere taler kom det ikke, og det var det heller ingen som venta, det ble ofte pinlig og stille omkring dem, så da jeg reiste meg trangt mellom bordet og veggen med et klink av kniven mot glasset, som var tomt allerede, snudde alle seg overraska og smilte forsiktig i min retning. De frykta vel hva som kunne komme. De visste hver eneste en at jeg ikke lenger var elev ved skolen på hjørnet av Dælenenggata og Gøteborggata like ved Carl Berners plass, der mora mi ville at jeg skulle fortsette, der hun nærmest hadde pressa meg inn, fordi hun gjerne skulle gått der sjøl, om det hadde vært mulig. Det hadde vært tema i to land og i hele dette huset, fra trapp til trapp, fra dør til dør, det faktum at jeg nå var kommunist, ja maoist, noe de bare hadde hørt om på TV, og ville bli en del av arbeiderklassen, hvilket de mente jeg for faen allerede var og alltid hadde vært. Poenget for dem var jo at jeg skulle *slutte* å være det, så de alle kunne være stolte av meg, fordi jeg hadde fått gå videre. De ville meg vel, de likte meg jo, og jeg likte dem.

Idet jeg skulle til å snakke, gikk det opp for meg at jeg var full. Jeg hadde ikke spist noe den dagen, hadde ikke appetitt eller hadde bare glemt det, og nå hadde jeg tre glass champagne på tom mage og ett glass vin. Så da jeg reiste meg, fór en buldrende vind gjennom hodet, det var springflo og brenninger i hjernen, jeg tok ett skritt til sida og traff stolen til en bonde i dress, han dufta fjøs og mjøl, en onkel, var jeg sikker på at han var, jeg hadde sett han før, og jeg hadde ingenting imot den duften, tvert imot, det var noe med barndom i den, ikke min barndom, men noens barndom, og i tillegg til å være full, hadde jeg glemt de to arkene med talen i jakka, og jakka hang i gangen der de andre jakkene hang. Det var så varmt i leiligheten at ingen orka ha jakkene på seg, og det å komme seg ut i gangen for å hente talen, var ikke å tenke på. Det var for trangt. Det var for pinlig. For mange måtte reise seg på veien dit, og nå hadde jeg dessuten slått kniven mot glasset.

Jeg skulle si noe om Rio Grande, det huska jeg, men jeg huska ikke *hva* om Rio Grande, hva det var med den elva som var viktig, så jeg lot temaet ligge og kjente konsonantene ligge så skeivt i munnen at det ville bli vanskelig å hale dem ut i hele stykker. Mora mi så på meg rolig, nesten drømmende, litt ute av fokus, og hun venta, og faren min stirra i veggen på den andre sida av stua, og det var det ikke bare han som gjorde.

Jeg holdt meg forsiktig i stolen til mannen ved siden av meg. Jeg følte meg ikke bra. Jeg hadde ikke sagt noe ennå, men jeg trengte en pause. Jeg leita etter glasset mitt på bordet for å løfte det til munnen og ta en slurk, men jeg fant det ikke, og uansett var det jo tomt. Min sidemann Onkelbonden så hvordan hånda mi fomla omkring, så han tok den nærmeste flaska og helte i glasset en god slant vin og leide det inn i hånda mi. Jeg så ned på han, og han nikka og smilte svakt, og jeg nikka tilbake, han var en fin onkel, den beste jeg hadde, ingen tvil om det. Jeg tok en stor slurk og satte glasset tilbake på bordet. Jeg åpna munnen, sto litt på den måten, og lukka den igjen. Ikke en lyd å høre, ikke et glass, ikke en kniv, ikke en gaffel i bevegelse. Jeg prøvde å konsentrere meg, jeg var full så det syntes, og jeg så ned i tallerkenen og gnei øyenlokkene med hånd-bakene som jeg gjorde da jeg var liten, det var slutt for i dag, god natt, god natt.

– Det var kanskje noe du ville si, Arvid, sa mora mi med en mild og undrende stemme. Jeg visste akkurat hvordan hun så ut.

– Jeg trur ikke det, sa jeg. – Jeg husker ingenting om deg, sa jeg, – ingenting, og da sa hun:

– Det er kanskje likså greit.

Jeg løfta hodet og så den eldste broren min helt nederst ved bordet. Han stirra på meg, han var rasende. Det var kanskje på tide å gå, men jeg visste ikke om jeg kunne det. Gå. Jeg tok en slurk av glasset. Jeg lente meg på bonden min og satte meg, og så ga jeg han hånda, og han tok den i sin og klemte den hardt som bønder gjør.

– Beklager, sa jeg lavt, – det gikk visst dårlig.

– Det gjorde nok det, sa han. – Men det går sikkert bedre neste gang.

Jeg snudde meg og så på han. Jeg kunne plutselig ikke huske når jeg så han sist, eller om jeg hadde sett han før i det hele tatt.

– Du er vel onkelen min, sa jeg.

– Nei, sa han, – men det gjør ingenting.

Jeg gikk ikke da, men jeg husker ikke resten av festen så nøye, husker ikke om jeg sa noe til noen, eller noen sa noe til meg, og det er vel ikke sikkert at noen gjorde det, alt tatt i betraktning. Da jeg endelig forsto at jeg burde gå, var klokka på kjøkkenet godt over elleve. Akkurat det husker jeg.

I gangen fant jeg tweedjakka med den sammenbretta talen i innerlomma, åpna døra og kom meg ut. Jeg gikk bort hellegangen i den kalde, friske lufta, og bestemte meg der og da for å gå alle bakkene ned til Carl Berners plass.

17

Kaldt inn fra havet over ansiktet. Drivende skyer. Det var kaldt langs ryggen under faren min sin genser. Jeg sto med ryggen mot hekken og Hansens lille hus, og jeg tenkte på Inger som jeg hadde klina med bak den hekken. Jeg huska munnen hennes, den smakte merkelig, nesten godt, men jeg visste ikke hva jeg skulle bruke den til. Jeg var tretten år, og hun var fjorten, og vi lå på loftet i uthuset deres og leste Nick Carter-bøker. Nick sto og røyka i stua. Han så ut av vinduet. Han snudde seg og stumpa sigaretten i et askebeger du kunne trykke ned i midten med en knapp, og så snurra det rundt og sneipen forsvant. Nick gikk bort og dro blondinen opp fra sofaen og løfta henne fort og bar henne inn i soverommet og kasta henne på senga. Ville du ikke likt å være han nå, sa Inger. Jo, sa jeg, og jeg hadde ingen anelse om hva hun mente.

Jeg kunne likså godt reise. Men det gikk ingen båt før dagen etter, og mora mi sov, og jeg hadde ikke lyst til å sitte i en stol helt stille og bare vente på at hun skulle våkne. Jeg så på furua som sto der. Den krokete toppen. Greinene som skrapte mot taket i vinden. Jeg tømte ølflaska og satte den fra meg i krattet ved kanten av hekken. Jeg visste plutselig hva jeg skulle gjøre, og jeg ville sette i gang med det samme, og når jeg var ferdig ville hun våkne og dra gardinet til side og kikke ut og legge ansiktet mot ruta og plutselig føle seg så lett og frisk som hun ikke hadde gjort på lenge og ikke forstå med én gang, at det hadde noe med *meg* å gjøre. Hun ville se ut av vinduet og straks få øye på det som var blitt annerledes mens hun sov, og så ville det gå opp for henne, at det som faren min ikke fikk til, det hadde jeg fått til.

Jeg åpna den knirkende døra til vedskjulet, og lyset falt inn på den store hoggestabben som sto midt på jordgolvet med ei øks planta i toppen, ei ganske ny kløyvøks som faren min hadde fått til femogsyttiårsdagen. Han var fortsatt sterk til å være så gammel, men jeg var sterkere enn han og hadde vært det lenge, og han visste det.

Det sto ei annen øks i et hjørne. Den var kortere i skaftet og rusten i hodet. Det var den vi brukte som vedøks før, men nå var det grove hakk i eggen, og skaftet var flisete inne ved hammeren. Ingen hadde slipt den, ingen hadde stelt den på lenge. Men det var den jeg ville bruke. Jeg dro arbeidshansker på hendene og tok øksa og en spade og ei hakke med meg ut, og et langt tau av hamp vi hadde hengende på en krok tok jeg også med meg og gikk bort til furua. Jeg hadde ikke gjort dette før, hadde ikke dratt ned et tre med røtter og alt, men jeg hadde sett Hansen gjøre det før vinteren en gang med et tre han syntes så truende ut. Jeg fikk tak i den nederste greina som stakk helt ut over taket vårt og klatra opp og dro med meg enden av tauet og slo det rundt stammen et godt stykke høyere enn midten, og låste med ei knute jeg hadde lært i speider'n tjuefem år før. Det var ikke mye jeg huska fra den tida, men knuta satt fortsatt i fingrene.

Jeg ble sittende der oppe på en grein. Lot tauet renne gjennom armkroken og ned på bakken der det ble liggende i en kveil. Tok av meg hanskene og stakk dem innunder genseren og rulla en sigarett og tente med den blå femkroneslighteren. Jeg trakk røyken helt rolig ned i lungene og ble sittende i furua på greina mi med ryggen mot stammen og røyke. Jeg klemte stumpen mot stammen til gloa var slokna helt og lot stumpen falle. Så satt jeg litt til.

Jeg så ned på tunet til Hansen. Det var tomt. Han var ikke der. Fasanen var også borte. Påhengsmotoren var hvit og skrudd fast i krakken. Jeg så over hyttetakene mot havet. Det hadde striper av skum i vinden fra nord, det var skrukkete som et mørkt stykke tøy eller krepp-papir, og det så lammende kaldt ut og var lilla på en avvisende måte, det var blendende hvitt helt ytterst, det var sola som skinte der ute, men her inne var den borte. Himmelen var lav og grå. Det begynte å blåse, det blåste meg kaldt i ryggen, og rundt meg på alle sider dro vinden gjennom furua. Jeg veit ikke hva som skjedde. Kanskje jeg besvimte et øyeblikk, men da jeg kom til meg sjøl, var jeg klissvåt i ansiktet, jeg hadde hendene stramt rundt tauet og knokene var hvite. Jeg tørka ansiktet, gnei øynene hardt med håndflatene og tok hanskene på og klatra forsiktig ned, den ene hånda på greinene, den andre rundt tauet. Jeg rappellerte, som fjellklatrere gjør, og ved foten av furua besvimte jeg igjen, slo panna mot stammen og våkna med én gang.

Jeg trakk pusten langt ned i lungene, én gang, to ganger, tre ganger, og kjente etter om høyrehånda kunne brukes. Jeg åpna den og knytta den, og det gjorde litt vondt, men ikke mer enn jeg tålte. Så tok jeg spaden og begynte å grave i sandjorda i en sirkel rundt stammen. Jeg var svimmel, men det var dette jeg ville. Jeg grov en sirkel til, oppi den første, og enda en sirkel for å komme meg djupere, og så en fjerde, litt videre sirkel, og i den femte sirkelen på vei ned i jorda smalt spaden mot røttene. Jeg grov og fikk sirkelen enda videre, og flere røtter kom til syne i lysende rødt og i hvitt under spaden.

Jeg satte meg ned for å hvile med føttene i grøfta jeg hadde lagd. Dro hanskene av hendene og rulla en ny sigarett og tente med lighteren og røyka den helt inn med øynene lukka. Den sigaretten smakte merkelig godt. Den fikk meg til å smile.

Jeg svingte beina opp fra grøfta og reiste meg og tok øksa. Den føltes fin i hånda. Jeg svingte den et par ganger i lufta over skulderen, som jeg hadde sett det på TV at folk svinger golfkøller, og så dreiv jeg den hardt og skrått inn i den første rotarmen, og den delte seg av bare farta, og jeg håpte at mora mi ikke ville våkne av smellet, men hun var nok for sliten, var nok for trøtt og dårlig, og øksa fór langt ned i sandjorda og fikk sikkert enda flere hakk i eggen. Jeg fortsatte rundt stammen, og noen røtter slapp taket med én gang, og andre trengte mange hogg. De var seige de fleste og fulle av saft fra jordas indre og ville ikke slippe. Men de *skulle* slippe, det var ingen bønn, og jeg hogg, og jeg hogg fra høyre og venstre, og til slutt var det ingen ting som hang sammen der nede.

Jeg retta den verkende ryggen og plukka tauet opp og gikk nøyaktig femten skritt tilbake mot skjulet og bort fra huset og tok spenntak med begge hælene i bakken. Jeg lente meg bakover med tauet stramt fra stammen høyt oppe, men ikke øverst, og dro så hardt jeg kunne. Jeg hørte det knake og kjente i armene at furua ga seg og lente seg over, men så svingte den tilbake og sto der som den sto der før. Hver gang jeg dro, skjedde det samme, og jeg tenkte, kanskje det ikke går, kanskje det ikke går, tenkte jeg, og når hun våkner og drar gardinet til side og ser ut, så er ingenting blitt annerledes, ingenting har skjedd, og alt er som det alltid har vært.

Jeg slapp tauet og gikk bort til furustammen, løfta spaden og grov meg enda lenger ned og skrått innunder treet og sakte ble den største rotarmen synlig. Den dro seg rett ned i bakken som et anker. Da var det bare å puste inn og sette i gang med hakka først og så med spaden for å få en skrå nok vinkel inn imot rota. Da jeg mente det var nok, slapp jeg spaden, klemte hendene rundt økseskaftet, satte føttene så langt fra hverandre at jeg kom lavt nok ned med armene, og så smelte jeg til, og den traff med et smell, og øksa slo hardt tilbake. En ilende smerte fór opp gjennom underarmene som ble numne til albuene, og jeg slapp øksa og ropte høyt, for faen i helvete, jeg orker ikke mer.

Da smerten ga seg, falt jeg på kne og lukka øynene til alt var på plass i hodet, og jeg gnei hånda mot brystet og rista hodet og reiste meg for å gjøre et nytt forsøk med mer intelligens, hakka først en hel runde til og så i gang med spaden, og det tok mer enn tjue hogg fra flere kanter, men da brast rota med en underjordisk metallisk og syngende lyd, som var det en wire som røyk der nede. Jeg gikk tilbake mot skjulet og tok enden av tauet og gjorde meg klar, og så dro jeg så kraftig og plutselig jeg kunne, og da kom den deisende med én gang, hele furua tung og susende, og jeg kasta meg til side, rulla flere ganger rundt og slapp så vidt unna. Det var som faen, tenkte jeg, med ryggen i gresset og himmelen over meg, full av vind og lav og grå, men det gjorde ingenting nå, jeg hadde fått det til, og jeg lo, og jeg lo helt aleine. Livet mitt lå foran meg. Ingenting var avgjort.

Jeg ble liggende og hvile til kulda dro tvers igjennom genseren. Jeg lytta for å høre om mora mi kanskje var oppe. Men i huset var det stille. Ingen holdt leven på kjøkkenet. Hun hadde nok tatt ei pille, så hardt som hun sov. Jeg halte meg halvveis opp i sittende stilling og lot som om jeg vurderte å kappe alle greinene på furua med én gang. Eller om jeg skulle vente. Jeg satt en stund, i fall noen så meg, før jeg bestemte at jeg skulle vente.

Jeg kom meg på beina, børsta bøss fra genseren og fra buksa mi bak og gikk bort og løsna tauet fra furustammen og plukka opp fra bakken de redskapene jeg hadde brukt og bar det alt sammen inn i vedskjulet og stilte dem opp mot veggen, surra tauet rundt hånd og albue i en kveil som jeg låste med ei knute og hengte på kroken og lukka døra og gikk over gresset mot det gamle uthuset.

Om ikke så lenge ville kveldsmørket komme, det svarte høstmørket ville seile inn fra havet, det ytterste mørket ville trekke inn som en diger presenning fra horisonten der ute og legge seg flatt over kysten og flatt over strendene mot sør og mot nord og legge seg flatt over åkrene og hedene og hver eneste vei og hver eneste sti, og til slutt kanskje presse meg ned så jeg knapt kunne stå i åpent terreng.

Men fortsatt var det noen timer igjen. Jeg kom ned til uthuset og åpna døra og gikk inn i den velkjente lukta av litt for fuktig murverk i litt for mange år. Jeg ville se om den gamle sykkelen min fortsatt befant seg der inne. Og det gjorde den. Lent opp mot den innerste veggen. Det var en norsk Svithun, blå metallic med hvite striper. Begge dekkene var flate, men jeg fant ei rusten pumpe i en krok, og med litt utrente, klossete bevegelser fikk jeg luft inn i begge dekkene, og de var ikke punkterte, hadde bare stått uten tilsyn så lenge at lufta var pipla ut for flere år siden. Jeg løfta sykkelen ut på gresset, dytta i gang og svingte meg opp på setet. Det var en uvant bevegelse, og kjedet var rustent og bråkete i den blanke kassa. Jeg kunne ikke huske sist jeg satt på en sykkel, men jeg tråkka i vei så godt jeg kunne.

[18]

Så kom jeg inn mot byen på sykkel over veien til Skagen, fornøyd med meg sjøl og furua som lå over tunet i all sin velde til dansk å være. Jeg var lett på pedalene forbi den gamle DK-bensinstasjonen vi nesten alltid brukte når vi var der om sommeren, dit vi dro og kjøpte øl når de andre butikkene var stengt. Mer enn én gang hadde jeg svingt inn foran pumpene litt på skeive med litt for høy promille for å handle flere flasker.

Og jeg kom syklende opp forbi Storkøb, butikken lå til høyre, og videre langs den lange steinmuren til venstre med Fladstrand kirke på den andre sida av muren, de kalka veggene blendende hvite i det seine lyset fra sola, og jeg trilla langs gravlunden som delte sine høye trær med den lille parken Plantagen i den andre enden, hvor de helt umerkelig glei over i hverandre. Jeg stoppa midtveis og lente sykkelen mot steinmuren, hvor det sto bare én sykkel fra før, en damesykkel, og jeg tok pakka opp av lomma og rulla en sigarett og lente meg med ryggen mot muren og røyka sigaretten og holdt den mellom fingrene som Albert Finney fra sykkelfabrikken ville holdt den, om han hadde kunnet komme hele veien opp gjennom tida og stått her på dette stedet ved sida av meg. Jeg løfta hodet og kikka bort veien mot begravelsesbyrået på den motsatte sida. Der sto det rekker med blanke, glatte, firkanta steiner til utstilling på hver side av inngangen, og på toppen av steinene satt duer av bronse og kikka ned på en blyg og irriterende kristen måte. Jeg snudde meg tilbake og kikka ned veien i motsatt retning, mot sjukehuset og pleiehjemmet ved krysset. Det hadde terrasser hele bygninga opp i tre etasjer. På en av terrassene satt bestemora mi i en kurvstol de siste åra av livet sitt før hun ble gravlagt på kirkegården bak meg, og de få gangene jeg gikk dit for å besøke henne med ei av jentene med meg, eller begge to, ei jente på hver side, i hver si hånd, da hadde hun en lapp på fanget hvor det sto: *Det er Arvid som kommer i dag.* Men så glemte hun lappen, og den lå bare løst i hånda hennes på det hekla pleddet hun alltid hadde over knærne, og hun kjente meg ikke igjen.

Og jeg skjønte ikke hva det var med kroppen min, om det var sigaretten jeg røyka, om den kunne ha en narkotisk virkning, eller det var lyset fra sola som så vidt fant fram over hustakene på en stille og skrå måte og traff meg rett i ansiktet, men jeg følte meg plutselig bedre enn jeg hadde gjort på flere uker. Og siden jeg følte meg så fin, ja løfta på en måte i mild rus, fant jeg ut at jeg likså godt kunne ta en tur inne på gravlunden mellom trærne, langs de gruslagte stiene mens det ennå var lyst, fordi jeg likte den gravlunden, jeg hadde gått der mange ganger før.

Det var uvant med de nakne trærne, og lysere nå enn det var om sommeren, da jeg vanligvis gikk her, og det var lett å se langt sjøl om sola var på hell. Der inne var det lange rekker med stramt stussa hekker, helt vinkelrette hekker rundt hver eneste grav, og noen hadde kjettinger i slake buer over åpninga foran steinen, og noen hadde hvitmalte små smijernsporter i den lave hekken, og mer enn halvparten av steinene hadde duer på toppen, og et par av de duene var til og med ekte. Da jeg kom inn på grusgangen og gikk forbi, slo de vingene ut og fløy sin vei som duer flyr.

Jeg visste hvor jeg skulle, men jeg ville ikke gå dit med én gang, så jeg svingte av til venstre et stykke og videre i en sirkel på stiene eller i en firkant, for å være nøyaktig, og kom opp mot grava fra en helt annen kant enn den jeg pleide å komme, rettvendt denne gangen med ansiktet mot navnene på steinene, og da var den jo lettere å finne òg.

Hun satt på kne i singelen foran gravsteinen med de tre navnene på, og plukka vissent kratt og visne, tørre blomster fra de små krukkene som hun hadde plassert der tidligere. Tida for blomster var forbi og passert for lengst, men ingen hadde vært her på mange uker og gjort pent. Jeg stoppa noen meter før jeg var framme og ble stående.

– Er det deg, sa hun og snudde seg ikke.

– Ja, sa jeg, og så sa hun ingenting, så da måtte jo jeg.

– Jeg var sikker på du lå hjemme i hytta og sov, sa jeg.

– Som du ser, så gjør jeg ikke det.

– Nei, sa jeg, – jeg ser det.

Jeg trakk pusten. Jeg hadde det fortsatt fint.

– Skal jeg hjelpe deg med noe, sa jeg.

Hun snudde seg halvt og kikka opp. Hun hadde grått, det var lett å se.

– Hva har skjedd med panna di, sa hun.

– Jeg datt mot et tre, sa jeg.

– Nettopp nå?

– Ja.

– Var du full da?

– Nei, sa jeg. – Jeg blir vel ikke full av et glass calvados. Og en slaveøl.

– En slaveøl?

– Ja, inne hos Hansen.

– Jaså, sa hun. – Hva snakka dere om, da?

– Vi snakka om Lenin, sa jeg.

– Om Lenin?

– Ja, sa jeg, og da rista hun på hodet og pekte forbi meg bort grusgangen jeg var kommet på, og hun var hoven i ansiktet, hoven under øynene.

– Kan du hente en av de bøttene der? Ved døra til boden?

Jeg snudde meg og så i den retninga. Det sto en stabel med bøtter ved døra til en bod bygd av teglstein med taket dratt opp i en spiss, og den var pen på en gammeldags litt jålete måte.

Fra boden stakk ei vannkran ut med et lite sementbasseng under.

– Javisst, sa jeg. Jeg var i godt humør. Jeg gikk de få metrene bort og dro den øverste plastbøtta opp av stabelen, gikk tilbake og ga henne bøtta. Hun tok imot og planta den støtt mellom knærne, og så la hun nedi de visne blomstene og det visne krattet hun hadde rakt i hop med bare hendene, og plutselig pressa hun alt sammen hardt ned i bøtta. Hun retta ryggen, tok av seg vantene og dro hånda gjennom håret og ble sittende taus. Det føltes litt ubekvemt, og jeg tenkte, jeg sier det nå.

– Jeg fikk dratt ned den furua, sa jeg og forsto med én gang at jeg ikke skulle sagt det nå.

– Gjorde du?

– Ja, jøss, sa jeg.

– Det var fint sa hun, – men ærlig talt, du skylder faren din såpass, han orker jo ikke, han har gjort så mye for deg, sa hun, og jeg tenkte, hva faen har faren min gjort for meg, og hun sa: – Nå er det du som orker. Faren din er blitt en gammel mann. Forstår du det?

– Ja, jeg forstår det, sa jeg.

– Er du sikker på det?

– Jada. Jeg forstår det, sa jeg, – men jeg ble ikke helt ferdig, da. Foreløpig bare ligger den der. Jeg har greinene igjen. Det tar litt tid det òg, sa jeg.

– Jo, det er klart, sa hun, men hun hadde allerede glemt furua. Jeg så ned på skoa mine. – Tenker du noen gang på broren din, sa hun.

– Ja, sa jeg, – jeg gjør jo det.

– Jeg tenker på han hver dag, sa mora mi.

Det var seks år siden han døde, og jeg kunne ikke si det samme. Men jeg tenkte på han ofte og tenkte på dagen han døde og hver eneste gang med dårlig samvittighet. Jeg hadde hatt den følelsen så lenge at den ikke var mulig å skille fra min person.

– Du tenker ikke på *meg* hver dag, sa jeg.

– Nei, sa hun. – Hvorfor skulle jeg det?

– Nei, hvorfor skulle du det, sa jeg. – Jeg tenker ikke på deg hver dag, heller. Men det var ikke sant, så da sa jeg: – Jo, det gjør jeg.

– Det er ikke nødvendig, sa hun med ryggen til.

– Jo, det er det.

Hun snudde seg og så meg skrått opp i øynene mens hun samtidig pressa de nakne hendene mot singelen foran gravsteinen og kom seg stivt på beina og skulle til å si noe jeg helt sikkert ikke ville likt å høre, men så lot hun det være.

– Det blir snart mørkt, sa hun. – Sykler vi sammen hjem til sommerhuset? Og jeg svarte:

– Jeg hadde tenkt meg en tur helt inn.

– Da håper jeg du har lykt på sykkelen.

– Jada, sa jeg. Og det hadde jeg, men jeg hadde ingen dynamo. Den var borte for lenge siden, og var nok montert på en annen sykkel. Eller kasta i søpla. Hva visste vel jeg.

Vi gikk sammen bort grusgangen mot porten i muren. Gravlunden skulle stenges nå, det kom en mann i kjeledress gående. Han nikka svakt i vår retning, og mora mi nikka tilbake, og så var vi ute og gikk bort til syklene.

– Javel da, sa hun og satte seg på setet med ryggen i min retning, og jeg svingte meg opp på sykkelen, og så dro vi hver vår vei. Da jeg var kommet til krysset, tok jeg av i en stor sving til venstre før pleiehjemmet, og et stykke nede i veien gjorde det skikkelig vondt i brystet, og jeg ropte:

– Faen i helvete! Faen i helvete! Og jeg kunne slengt den gamle sykkelen min i asfalten og revet setet av stanga, vridd styret til en S mellom hendene og tråkka eikene til spagetti rundt navet, eller snudd midt i veien og kommet i kapp med henne før bensinstasjonen og deklamert en veritabel brubygger av en setning. Men jeg gjorde ingen av delene. Jeg trilla bare videre ned gata mot sentrum, over Gammeltorv forbi Dommergaarden med fyllearresten til høyre, der jeg en gang helt ufrivillig var nødt til å overnatte, og etter det strøyk jeg over Nytorv og videre den lange veien bort Danmarksgade.

[19]

Det var natt på Carl Berners plass. Jeg sov, og jeg drømte, og så var jeg våken og glemte drømmen. Kaldt var det mot ansiktet i mørket i den lille stua, og jeg kjente henne tett inntil kroppen, det brant inne i brystet der hjertet mitt banka, og det brant i et hus ute i byen et sted, ikke langt fra dette rommet. En mann ropte høye forskrekka ord til en annen mann som ropte tilbake med hivende pust, med stønn mens de løp, mens brannbilene ulte forbi gjennom mørket, på rødt lys gjennom krysset der ingen gikk. Jeg hørte alt sammen smellende hardt gjennom vinduet som sto åpent i kulda, og blålysene blinka i vinkel i glasset, og det brant ned langs armene mine rundt skuldrene hennes og i armene hennes rundt brystet mitt, og jeg tenkte at det kunne ha skjedd her, så brennende varmt som det var mellom hennes hud og min hud; at det ikke slo ut i flammer, tenkte jeg.

Jeg husker jeg sto opp fra sovesofaen og gikk bort uten klær til vinduet, og det var kald desember og snø på buskene ved teglsteinsveggen rett under meg og på asfalten langs fortauet utafor. Jeg lente meg ut med den iskalde karmen mot magen, og det skulle vel kanskje vært grålysning nå, nesten morgen, men det oransjeblå lyset jeg skimta der nede fikk allting omkring seg til å bli svart.

– Hva er det som skjer, sa hun.

– Det brenner i et hus borte i gata et sted, sa jeg, – i en leiegård ned imot Munchmuseet.

– Å nei, sa hun, – ikke Munchmuseet, for vi gikk dit i hvert fall annenhver søndag, sto klare på plassen når dørene åpna.

– Nei, ikke så langt nede. Munchmuseet greier seg fint, sa jeg. – Men den leiegården greier seg ikke så fint.

Hun kom opp over golvet rett bak meg, og vi sto foran vinduet skulder ved skulder, hun og jeg og jeg uten klær og hun med den varme dyna omkring seg. I Finnmarkgata var det lysende glødende sirkler på snøen under gatelyktene, og i flere leiligheter på den andre sida av veien ble lyset tent bak vinduene, og hun sa:

– Men fryser du ikke? Og jeg skalv og sa:

– Jo, jeg fryser visst nå, for jeg kjente det plutselig, at jeg frøys noe jævlig, som de glitrende rimfrosne nakne skulpturene i Frognerparken fryser, i desember, januar, og da åpna hun dyna og dro meg inn, og vi sto der ei stund i vår egen varme.

Så gikk hun trippende tilbake med den stramme dyna omkring seg bort til sovesofaen og la seg igjen og sa:

– Ikke vekk meg én eneste gang til er du snill, jeg er nødt til å sove for å holde meg pen.

– Det er greit, sa jeg, men tenkte, du blir ikke penere, og jeg lukka vinduet og kledde på meg både kald skjorte og kald bukse og gikk ut på kjøkkenet barbeint med sokkene og skoa i hånda, dro døra igjen etter meg stille og forsiktig, og da ropte hun:

– Ikke lukk døra, så er du kamerat, så jeg åpna døra og tente ikke lyset og åpna lokket på den gamle magasinkomfyren jeg hadde fått med meg da jeg flytta fra Veitvet. Jeg holdt hendene over magasinet i mørket og gnei dem hardt mot hverandre mange ganger før jeg satte over kjelen med vann. Dråpene freste under kjelen og smalt på den nesten glødende toppen av massivt støpejern, det var varme helt nede fra glødetrådene opp gjennom sylinderen i et stumt drønn, og jeg syntes den lyden fra kjelen var fin, en lyd jeg kjente, en lyd jeg hadde hørt den ene morgenen etter den andre stående på en krakk med hendene rett ut framfor kroppen en halv time på prikken etter at faren min var reist med bussen av gårde til fabrikken, og bare hun og jeg var på kjøkkenet så tidlig. Alle andre sov, det var mørkt ute på veien, mørkt inne i stua, bare den gule lampa på komfyren var tent, og det smalt som luftgeværskudd under kjelen når hun satte over melka for å koke kakao. Det var bare hun og jeg, for brødrene mine sov så lenge de kunne, den lille broren, den store broren, og de visste ikke engang at jeg var våken, at jeg hadde ligget i senga og lytta etter klikket i døra og faren min sine skritt bort hellegangen foran huset. De visste ikke at jeg venta de nødvendige minuttene under dyna mens jeg telte de lange skrittene hans opp bakken, forbi telefonkiosken, forbi shoppingsenteret hele veien opp til Trondhjemsveien og holdeplassen der, hvor den stoppa, den gule og grønne bussen som skulle til byen. Da sto jeg opp og kledde på meg i stummende mørke så de andre ikke skulle se hva jeg gjorde, hvis de plutselig våkna og skulle på do. Etter det gikk jeg stille ned trappa til stua og videre gjennom gangen der onkelen min fra Danmark hang i ei sølvramme på veggen. Han het Jesper og hadde båtlue med striper og dusk og dansk militær uniform og døde rett etter at bildet ble tatt, bare treogtredve år, som Jesus var da han døde.

Og så var jeg framme ved kjøkkenet og ble stående stille på terskelen. Hun sto foran komfyren med ryggen mot døra.

– Er det deg, sa hun.

– Ja, sa jeg, – det er meg, og hun visste hver eneste gang at det var meg, hver eneste gang visste hun det var jeg som kom, enda jeg var barbeint og lydløs når jeg kom, som en indianer i skogen, jeg var mystisk og mørk, og hun sa:

– Får du ikke sove, og jeg sa:

– Nei, det veit du vel, og da smilte hun helt sikkert for seg sjøl før hun snudde seg, og hun snudde seg og smilte ikke spesielt mye som jeg kunne se, smilte ikke spesielt tydelig, men hun var ikke irritert heller, for hun visste det var jeg som kom. Hun tok krakken fra plassen under benken og satte den foran komfyren og satte seg på huk og tok melka fra matskapet nederst ved luka som var dekka med netting mot mus. Jeg kom meg opp på krakken med knærne først og reiste meg og ble stående rett opp og ned med utstrakte armer ved det åpne magasinet for å kjenne den vibrerende varmen sige opp langs hendene, langs brystet, helt opp til haka og munnen, og kjelen smalt på plata og jeg hadde ikke engang begynt på skolen, så jeg kunne stå der så lenge jeg ville.

Jeg satte meg ved bordet med den varme kaffen i et lysegult krus og tenkte på leiegården der nede som brant og folka som bodde i huset som brant, som våkna i sengene midt på natta og all luft omkring dem var rød og het, og de løp mot dørene med barn under armene, mot trappene ned til første etasje og kom stupende ut på veien i siste lita, i kalde desember, og kulda var som et sjokk mot kroppen. Men alt det som måtte gjøres ble gjort av dem som visste hva de gjorde, og jeg ville ikke gå ut og stå der og glo som de andre sto og være én av dem. Og jeg måtte jo snart av gårde, klokka gikk fort imot seks. Jeg lukka for magasinet på komfyren og smurte meg mat og pakka den inn i matpapir og la pakka i veska som likna den veska som faren min brukte, ei lærveske med ett stort rom med matpakka i og det sammenbretta Arbeiderbladet og Klassekampen med logoen ned, så den ikke skulle synes, og to lommer foran med notatblokk og penn og de siste vedtakene fra DS, distriktsstyret i partiet, og i tillegg la jeg ned den boka jeg leste for tida.

Jeg gikk inn i stua for å se henne sove i det grå dempa skeive lyset fra vinduet. Jeg ble stående og sa ikke noe som kunne vekke henne, for hun skulle snart opp og videre inn til skolen i sentrum. Jeg sto litt betenkt som jeg noen ganger gjorde når hun sov og jeg var våken, for hun så så ung ut på puta, ei jente bare, og jeg tenkte, hun er jo så ung, og i mørket hadde hun sagt: Åh, Arvid, i søvne nesten, flytende et sted mellom her og der, og det glapp aldri ut noen pinlig forglemmelse, et annet navn henta opp fra et tidligere favntak, ikke Gunnar, ikke Espen, ikke Tommy, nei i hvert fall ikke Tommy, men Arvid, bare Arvid, fordi han som het Arvid var den første, han som holdt alt i hendene, balanserte alt, og når det iblant gikk opp for meg, var det vanskelig å bære. Hun følte seg ikke ung, hun kjentes ikke ung, ikke ung på den måten, hun visste ting som jeg ikke visste, men hun *var* ung. Det plagde meg litt.

Jeg hadde varmen hennes og varmen fra komfyren i kroppen, det var tidlig morgen på Carl Berners plass. Jeg kryssa trikkeskinnene, gikk skrått under kablene som dro trikkene fram, og lysreklamene var ikke tent, og det kjentes riktig at de ikke var tent; du skulle halvblindt omfavne din egen kropp og den varmen du fortsatt hadde bak jakka opp fortauet langs plassen, gjennom grålyset omkring deg og la tankene sive sakte inn og ikke forstyrres av noenting på vei opp mot T-banestasjonen, og samtidig gå der som én av de mange på vei dit i desemberkulda. Jeg likte følelsen av å være et *vi*, være flere enn meg sjøl, være større enn meg sjøl, være omgitt på en måte jeg aldri før hadde følt, av å høre til, og det spilte ingen rolle om de som befant seg til høyre og venstre, de som gikk foran og bak meg på veien, ikke hadde den samme følelsen. Det var sånn det var, uansett hva de følte og tenkte. Vi var fjerdestanden på vei mot T-banestasjonen, mot stedene vi la inn vårt arbeid, og alle i partilaget var irriterte fordi jeg ofte sa fjerdestanden i stedet for arbeiderklassen. Det var en anakronisme, sa de som visste hva dét var, en feilplassering i tid, de visste ikke engang hva fjerdestanden var, det var bare tull, sa de, men jeg hadde ikke tenkt å slutte med det, det var riktig for meg på en måte som de ikke forsto. Ingen av dem hadde lest Victor Hugo, de leste bare det som lå rett foran dem på bordet, de visste ikke at det som mislyktes i revolusjonsårene 1830, 1848, 1871, var det vi skulle få til nå,

én gang for alle, men i veska hadde jeg de siste vedta-
kene fra distriktsstyret i partiet. Jeg visste godt at jeg
aldri ville greie å sette dem ut i livet, det var ikke mye
jeg fikk til i det hele tatt, jeg var for sjenert, jeg var for
aleine, jeg hadde ryggen mot veggen, jeg ville ikke være
aleine, men det spilte ingen rolle akkurat nå, i halv-
mørket på vei mot T-banestasjonen, om jeg forsto at
jeg ikke ville greie å sette de vedtakene ut i livet. Alle
omkring meg visste så mye mer enn meg uansett, alle
mennene omkring meg, alle kvinnene omkring meg.
Jeg visste for lite. Og likevel ville jeg ikke annet enn å
gå her nå, opp mot T-banestasjonen i grålyset og være
omgitt av dem alle.

Inn fra lasterampa gjennom flappdørene av plast, kaldt
ute, varmt inne, og langs veggen sto truckene parkert.
Det var stille i hallen og en svalhet i lufta det aldri ellers
var her inne mellom maskinene, ingen hakkete smell
mot øreklokkene, ingen virvler av støv mot øynene,
ingen hete, ingen svidd lukt av plastikk fra smeltekam-
rene, ingen dur fra båndene, eller kløe, eller klinete
svette. De trofaste gamle i blåtøy sto allerede ved kaffe-
automaten og snakka om ting uten tyngde, og Elly i
det lyseblå forkleet sto søvnig og fjern eller satt der fem
paller høyt og dingla med beina. Ingen het Elly lenger,
unntatt Elly. Jeg syntes beina hennes var pene. Hun var
ti år eldre enn meg og kanskje mer og så nok sånn ut,
men det var vanskelig ikke å se på henne. Hun smilte
til meg over skuldrene til de gamle, og hun blunka, og
jeg blunka tilbake, og videre gikk jeg ned trappene til
kjelleren og garderoben og garderobeskapet jeg endelig
hadde fått, som var ledig etter en som hadde slutta.

Det var noe med å ha et eget garderobeskap. Du kunne gå oppreist.

To timer ute i skiftet kom formannen bort. Det var stint av støv i lufta, alle maskinene gikk, den lille gikk og de to store gikk der jeg sto ved én av dem og med jamne mellomrom måtte løpe etter trucken for å kjøre fram paller med sju lag materie så ikke båndet skulle stoppe. Det gikk fint på førstelaget, sjøl om to mann var borte fra jobb den dagen. Jeg tok øreklokkene av og bøyde meg ned og la nakne øret mot munnen til formannen, og han sa jeg måtte opp en tur til personalsjefen. Nå. Han så på meg og gikk. Jeg kikka bort langs båndet, langs plattinga vi sto på, Elly og Reidun og Reidar og jeg, og jeg vifta til Hassan som kjørte maskina og pekte på brystet mitt og deretter mot døra til blokka der kontorene befant seg. Jeg fylte kammeret luftig og fint med sekstensiders falsa, porøst og treholdig papir fra Follum fabrikker. Så kom Hassan bort. Han viste meg fem sprikende høyrehånds fingrer og telte dem én etter en med pekefingeren på venstre hånd, rett foran ansiktet mitt så ingenting skulle gå meg forbi. Jeg nikka, og han smilte, og siden alt gikk glatt, tok han over stasjonen. Hassan var ok. Jeg gikk ned fra plattinga, gjennom hallen og gjennom den lydtette døra til den delen av bedriften som hadde tepper på golvet og blomster i krukker ved heisen.

Fem etasjer opp. Det sto bare *Tommy* på døra, og det skulle vel bety at han var en av gutta, var en av oss alle i alle avdelinger, og gi den døra en intimitet jeg ikke visste om jeg likte. Jeg likte den ikke. Så banka jeg på døra og gikk inn.

– Ja, sa jeg.

– Hei, sa han. – Et øyeblikk bare.

Jeg sto og venta i flere minutter. Ville han psyke meg ut, tenkte jeg, la meg være idiot, la meg føle meg mindre enn jeg var? Jeg ble usikker. Ikke redd, men usikker. Kanskje visste han noe som jeg ikke visste, noe som kunne skade meg. Han lyktes i hvert fall, om det var det han prøvde på, men det visste ikke han. Jeg smilte svakt gjennom alle minuttene, og så løfta han hodet og sa:

– Veit du hvorfor vi har gitt deg en jobb her?

– Fordi jeg søkte, antakelig.

– Fordi faren din ringte og spurte om vi kunne. Gi deg en jobb.

– Javel, sa jeg.

– Vi likte faren din her. Han sto på hver eneste dag, hvert eneste skift, han var aldri sjuk, han lagde aldri noe bråk. Det var ikke hans skyld at det ble vanskelig med skiftarbeid og mye overtid. Han er jo ikke ung lenger.

– Jeg veit det, sa jeg.

– Det var den eneste grunnen.

– Javel, sa jeg.

– Ja, det var alt.

Jeg snudde meg og gikk mot døra, og da jeg var framme og la hånda på klinka, stoppa jeg og sa:

– Veit du hva fjerdestanden er?

– Har ikke peiling, sa han.

– Det var det jeg tenkte, sa jeg med noe som skulle likne et sarkastisk smil, men jeg skjønte han ga faen i hva fjerdestanden var, og hva jeg mente med det spørsmålet, og uansett hadde han allerede senka blikket mot papirene igjen og så ikke smilet jeg hadde om munnen. Og jeg tenkte, er jeg en mann som kunne gå fram og sparke personalsjefen som het Tommy så hardt i beinet at han helt sikkert ga meg sparken, og likevel forlate bedriften med hodet høyt, men jeg visste at det var jeg ikke, og på vei ned med heisen fra femte etasje ble jeg stående og gispe.

20

Jeg forsto det ikke. Det føltes så lenge siden jeg kom
ned med *Holger Danske* til byen her og gikk i land, og
det var tidlig morgen. Denne dagen. Den burde vært
over nå. Det var november, det var kvelden, det skulle
vært mørkt, men sola hang fortsatt over takene i vest
og lyste bleikt og ville ikke slippe.

Jeg sykla forbi Paladsteateret helt nord i byen. Foran
den gamle kinoen falt lange skygger over gata og kniv-
skarpe linjer over husveggene på motsatt side, men de
var ikke lange nok, var ikke mørke nok til å slokke et
så skeivt og insisterende lys.

Ved en kiosk som var åpen lå avisene etter hverand-
re i stativer satt ut på fortauet foran vinduene, det sto
MUREN FALLER med store typer på alle forsidene,
og jeg heiv etter pusten, hvor hadde jeg vært, det var
ille, jeg hadde ikke fulgt med, det var virkelig ille, og
jeg begynte å gråte. Jeg kjente tårene renne tvers igjen-
nom byen fra Gammeltorv, og de rant over krysset ved
Løveapoteket og ned over plassen ved Svaneapoteket.
Tida hadde gått bak ryggen min og jeg hadde ikke
vendt meg om, det var virkelig virkelig ille, og jeg sykla
videre med tårene trillende ut langs lange Søndergade
som dro seg helt ned til sør i byen, hvilket sier seg sjøl
om en kan littegrann dansk, til et sted hvor jeg drakk

øl i gamle dager. Det var nesten borte ved Møllehuset og møllebekken og iskiosken som var stengt som alt annet var stengt, nesten helt borte ved parken til Bangsbo herregård med de to gylne tigrene som alle trudde var løver liggende på sokler foran inngangen. Herregården var museum nå og hadde vært det lenge. Jeg hadde besøkt det flere ganger med jentene. Det var fint. Vi kunne gå inn i det store U-forma våningshuset og se på de utstilte gamle tingene fra området rundt byen og fra kysten her og alle møblene fra hundre år tilbake eller enda lenger og alle klærne med blonder og vide skjortebryst og arbeidsklær og mengder av fotografier i det en kunne kalle offwhite og brunt på veggene. Vi kjøpte ispinner i disken på vei ut for å stå på den hvitmalte brua over vollgrava og mate endene med gammelt brød vi hadde med oss i en pose. Vi brøyt brødet i passende porsjoner og kasta dem i vannet én etter én, og endene kom svømmende i full fart fra alle kanter så skumsprøyten sto, den ene baksende foran den andre i et virvlende kaos, og noen ganger kom karpefiskene pilende, plutselig synlige, røde langs ryggen, og var først framme ved de flytende brødbitene og dro dem ned i det tefarga vannet og forsvant mot bunnen.

Jeg trilla en sving bort til herregårdsparken og tørka ansiktet som var kaldt nå i den kalde vinden og klissent mot håndflatene, men det rant ikke lenger fra øynene, og jeg tenkte på alle bildene fra Berlin jeg hadde sett og særlig det av soldaten med den blanke hjelmen som kom svevende over piggtråden mellom øst og vest i sin nypressa uniform, geværet på ryggen, munninga ned, kolben opp, og ble hengende i lufta med den spiralkveila piggtråden under seg i nesten tredve år, om han endelig kunne lande nå?

Jeg ble stående med sykkelen mellom beina og stirre inn forbi himmelhøye ask, kastanjetrær og bøk mot det store hvite huset helt innerst i parken, den hvite brua, allting bart nå, allting ublomstrende reint og klart. Bare en mann gikk omkring på stiene med striesekker under armen og dekka de nedklipte blomstene i blomsterrabatter som ikke tålte frost. Hvis den skulle komme. Frosten. Det gjorde den nødvendigvis ikke.

Så svingte jeg sykkelen og dro tilbake et stykke den veien jeg var kommet, opp Søndergade til ølstedet jeg pleide å besøke den gang muren sto støtt, men da jeg var framme, kunne jeg ikke finne det. Jeg trilla sykkelen langs huset. Der var som vanlig Santalmisjonens utsalg av brukte møbler og brukte klær og gamle bøker av liten interesse, og rett til høyre for de store vinduene var døra jeg mente førte inn til kafeen hvor jeg hadde tenkt å drikke øl. Men det var ikke engang et skilt med STENGT hengt opp bak glasset eller *Flyttet* til *den* eller *den* adressen. Kafeen var ganske enkelt borte. Over vinduet sto det FONA med stramme blå neonlysende bokstaver. Jeg skjerma øynene mot lyset med begge hender og bøyde meg mot vinduet og kikka inn gjennom glasset, og der inne var det rekker med fjernsynsapparater og stereoanlegg til salgs.

– Faen også, sa jeg høyt og hadde plutselig mer enn normalt lyst på en øl. Det gikk en sprekk gjennom livet mitt, et søkk, og det søkket kunne bare fylles med øl.

En mann passerte meg på fortauet. Han hadde nok hørt meg banne og gikk påfallende forsiktig fram til ei dør litt lenger bort i det neste huset hvor det sikkert var en bolig på innsida. Det sto i hvert fall ei hvit potte med røde pelargonier i den ene vindusposten. Og ganske riktig dro han opp en nøkkel fra lomma, men så snudde han seg og så min vei og kom tilbake og forsto hva jeg ville og forsto av den blå sykkelen at jeg ikke var dansk, for alle danske sykler er svarte.

– Ni har visst inte været her på en stund, sa han.
– De stengte her för to år sidan, og jeg tenkte, hvorfor er det sånn at alle dansker er nødt til å tru at alle nordmenn er svensker og samtidig snakke så utrulig dårlig svensk. Vi er vel for faen tre land i Skandinavia.

– De har flyttat, sa han og pekte innover mot sentrum igjen. – De er blivit nabo med Roses Bokhandel. Som om alle visste hvor Roses Bokhandel var. Men *jeg* visste hvor Roses Bokhandel var. Jeg hadde sykla dit fra sommerhuset gang etter gang gjennom byen da jeg var ungdom og enda yngre og stått på utsida og stirra inn på de nye bøkene bak vindusglasset og bladd meg gjennom billigkassene på fortauet foran butikken og alltid funnet noe jeg ville ha, som jeg hadde råd til.

– Takk, sa jeg. – Da drar jeg tilbake til kafeen som er blitt nabo med Roses Bokhandel og drikker meg full.

– De er jo ikke svensk, sa han. – De er nordmann.

– Det var ikke dårlig, sa jeg. – Det var virkelig ikke dårlig i det hele tatt. I så fall kanskje ikke så veldig full, sa jeg.

– Det håper jeg ikke, sa han.

– Du får ha takk igjen, sa jeg og satte meg på sykkelen.

– Hell og lykke, sa han.

*

Men først stoppa jeg foran bokhandelen. Det var seint på dagen, den var stengt med et gitter foran døra, men på himmelen lå lyset like gjenstridig, og i taket over vindusutstillinga var lampene tent. Klaus Rifbjerg var kommet med ei bok igjen. Det gjorde han nesten hvert år. Og en samla utgave av la Cour sine dikt sto der. Og en pocketutgave av Tom Kristensens *Hærværk*, om den alkoholiserte journalisten og kritikeren Ole Jastrau. Den boka gjorde meg så skremt da jeg leste den første gangen, at jeg lovte meg sjøl og den guden som ikke fantes, at jeg aldri skulle begynne å drikke. Så parkerte jeg sykkelen i et sykkelstativ og gikk inn i kafeen.

I kafeen var det dunkelt og brunt. Gjennom tobakksrøyken så jeg først bare den opplyste bardisken, og deretter menn med albuene mot disken mellom alle slags flasker, og etter hvert kom det flere menn og noen kvinner til syne i båsene på høyre og på venstre side. Alle drakk øl og røyka sigaretter, ferdigsigaretter, Prince, sannsynligvis, og de snakka med hverandre om ting de sikkert hadde felles og hadde kunnskap om alle sammen, men som *jeg* ikke hadde kunnskap om, og her kunne de oppdatere de kunnskapene ved å utveksle tanker om de siste utviklingene, de siste framgangene på områder det var noen vits i å snakke om, nødvendigheten av isbrytere i våre dager når isen ikke lenger lå så fast, om bygging av skip, størrelsen på gasstanker i firmaet Alpha Diesel, og de snakka helt sikkert om Muren som helt overraskende for meg hadde falt med betongbitene sprutende til øst og til vest, og alle lyder fra alle kroker i lokalet føltes øredøvende, nesten vonde etter stillheten i gata. Men da jeg kom ned trappa og ble stående på golvet, var det plutselig stille. Alle snudde seg og så i min retning. Jeg gikk bare sakte mot bardisken, de siste skrittene mer nølende enn de første, og fant den eneste ledige luka mellom mennene som sto der. Alle med den ene albuen støtta mot disken, alle med ansiktene vendt mot meg.

Jeg bestilte en øl og sa:

– En fatøl gjerne, om du har, fordi jeg så ikke annet enn flasker på disken, Carlsberg og Tuborg om hverandre, og jeg hadde ikke lyst på flaskeøl. Det ble for lunkent og for lite av gangen.

Fatøl var helt greit. Han tok fram et glass og dro i hendelen og fylte glasset, og det ble for mye skum, så han skrapte av skummet med en spatel av tre og fylte opp til randen for andre gang og satte glasset på en brikke det sto Carlsberg på i grønt og hvitt med ei rød krone i midten rett foran meg på disken.

Alle mennene begynte å snakke igjen, og de få kvinnene begynte å snakke. Først bare så vidt og så høyere og høyere til de nesten var oppe ved nivået de holdt da jeg kom inn i lokalet, men ikke helt, og kanskje litt mer forsiktig, litt mer internt, som var jeg personalsjefens angiver fra skipsverftet, hvor de fleste av dem helt sikkert jobba.

Jeg tok en lang slurk av ølen, og den smakte virkelig spesielt godt, så jeg tok en lang slurk til og satte glasset fra meg på Carlsbergbrikken og ga fra meg et sukk som kunne høres av flere og rulla en røyk med tobakk fra pakka av merket Petterøe 3, og tente med den blå lighteren. Den nest nærmeste mannen ved disken lente seg fram bak mannen som sto nærmest og snudde seg mot meg og så på røykpakka og sa:

– Du er jo nordmann.

– Ja, sa jeg, – det er riktig det. Og jeg tenkte, hva er det med denne dagen som gjør at jeg plutselig treffer dansker på rad med full innsikt i det skandinaviske språkområdet.

– Så unnskyld at jeg spør, jo, men hva gjør du i så fall her inne?

– Jeg vil drikke øl, sa jeg.

– Jo, jo, det er det jo ikke vanskelig å se, men det fins jo flere steder i byen hvor du kan drikke øl. Så hvorfor nettopp her. Her inne kjenner du jo ingen, er ikke det riktig?

– Det er helt riktig, sa jeg og tenkte, han sier jamen meg *jo* mange ganger.

– Så hvorfor her?

– Dette er min by, sa jeg. – Jeg drikker øl hvor jeg vil, og jeg følte meg fryktløs plutselig, og dreide kroppen hele veien rundt så jeg fikk bardisken mot ryggen og ansiktet vendt mot lokalet. Jeg var en mann som ingen kunne såre. Det var ikke sant, men det var det ingen her inne som visste.

– Ajaj, sa han. – Din by?

– Jeg vokste faktisk opp i denne byen. Nesten, i hvert fall.

– Men du snakker jo ikke dansk.

– Nei, jeg gjør ikke det. Med bare littegrann innsats forstår dere godt hva jeg sier.

– De fleste dansker tror jo nordmenn er svenske. De hører jo ikke forskjell.

– Det er nettopp det. Det er jævlig irriterende, sa jeg og tenkte at det var irriterende at han sa *jo* hele tida også. Jeg tok en ny lang slurk av ølen og da var det ikke mer igjen. Jeg løfta glasset så mannen bak disken kunne se det og sa:

– Én til, om jeg får.

– Du får, sa han. Og jeg fikk. Både den halvliteren og flere til, og da den fjerde var tømt, var jeg temmelig full. Jeg følte meg slett ikke bra. Det suste i hodet. Jeg sto med det femte glasset i hånda, løfta det mot munnen og tok en lang slurk og tenkte at nå må jeg gå, tar jeg bare én slurk til, er hundre og ett ute. Så tok jeg en slurk til, og en mann i det innerste mørke hjørnet reiste seg fra bordet og begynte å gå over golvet i min retning. Han var ikke helt stø. Han kom zombieaktig ut i lyset fra bardisken og ansiktet hans ble tydelig, og han hadde et blått og litt hovent felt over det venstre kinnet, rett over kjevebeinet. Jeg kunne ikke tru det. Det var mannen fra båten. Og han var fortsatt på vei i min retning. Jeg visste ikke hva jeg skulle gjøre, jeg ble redd, jeg følte meg trua, på livet faktisk. Jeg klemte hardt rundt glasset, og så var han helt framme og stoppa bare én meter foran meg. Han ble stående uten å si noe, han blunka et par ganger, kneip øynene sammen, åpna dem igjen og så meg inn i mine og og sa med en stemme så fortvila at jeg nesten fikk tårer i øynene:

– Men hvorfor måtte du slå?

Jeg trakk pusten djupt, jeg forsvarte meg ikke, jeg sa: – Jeg beklager oppriktig, det gjør jeg virkelig. Jeg trudde du var etter meg, sa jeg, – at du ville meg vondt. Og nå var jeg full, det var helt sikkert, for jeg sa: – Jeg var redd du ville kaste meg over bord.

– Hva, sa han, – kaste deg over bord, sa han, og nå så han helt forvirra ut, og jeg syntes synd på han da, og ikke for det rødhovne blåmerket han hadde på kinnet.

– Jeg beklager, sa jeg igjen, – det var utrulig dumt tenkt, men det var nå det jeg tenkte, jeg var litt full, forstår du, jeg ble redd.

– Redd for meg? Men det er jo Mogens.

– Hva, sa jeg.

– Det er Mogens, sa han. – Jeg heter jo Mogens.

– Mogens, sa jeg.

– Jeg er Mogens. Din venn. Du skal vel ikke slå dine venner. Det er ikke riktig.

– Er vi venner, sa jeg. Han var fullere enn jeg hadde forstått. Han var fullere enn meg.

– Men det er jo klart vi er venner. Husker du ingenting? Jeg kjente deg igjen med én gang jeg så deg på båten, sa mannen som het Mogens med skjelvende stemme, og nå med en plutselig bilyd av irritasjon som ikke var til å ta feil av.

Jeg forsto ikke. Han hadde kjent meg igjen på båten, i baren på *Holger Danske*, hvordan kunne han kjenne meg igjen i baren på *Holger Danske*? Det er Mogens, tenkte jeg, han heter Mogens, det er faen meg Mogens. Jeg hadde kjent bare én Mogens i mitt liv, og han hadde vært min venn, det var sant. Og det var han som sto rett foran meg nå, det var plutselig lett å se, han var bare eldre som jeg var eldre, og jeg hadde tatt så feil da jeg sa til meg sjøl i baren på *Holger Danske* kvelden før, eller heller natta før, at mannen i den andre enden av lokalet ikke kunne vite noe om livet mitt, for Mogens hadde vært min venn. I mange år hadde han vært min venn. Hver eneste sommer jeg kom ned med båter med navn som *Vistula* eller *Kronprins Olav* eller *Skipper*

Clement eller *Akershus,* eller båter med andre navn som *Cort Adeler*, *Peter Wessel*, sto han hver eneste gang ved terminalen på brygga og venta og vinka med blikket stivt retta mot relingen der *jeg* lente meg uforsvarlig langt ut og vinka tilbake. Jeg forsto aldri hvordan han kunne vite hvilken dato det var jeg kom. Men nettopp den morgenen, da vi la til med den ene båten eller den andre, uansett hvilket navn den båten hadde, sto han og venta ved den grønne terminalen, og det gikk opp for meg der og da i kafeen rett ved Roses Bokhandel, at han helt sikkert hadde stått på kaia hver eneste morgen ei uke lang og enda lenger for å vente og se om jeg kanskje nettopp *den* dagen ville komme med den store båten og så få øye på han ved det grønne terminalhuset og løfte hånda mi for å vinke.

Jeg prøvde hardt å bli stående rett opp og ned uten å svaie. Jeg rakte han høyrehånda.

– Hei, Mogens, sa jeg, – det var lenge siden. Det var jamen fint å se deg igjen. Og han tok hånda mi i si og klemte den hardt, og sa:

– Så det mener du, og slo meg over kinnet med venstre neve og holdt meg samtidig fast med den høyre, så jeg falt ikke langt da jeg falt, men ble hengende etter armen hans, og han slo meg igjen og slapp hånda mi og lot meg falle mot golvet rett mellom beina til mennene ved baren. Fy faen, det gjorde vondt. Jeg lukka øynene og ble liggende rett ut på ryggen for å komme meg litt, og det gjorde så vondt i kinnet, jeg kunne ikke huske en sånn smerte, og ikke én mann ved baren ville hjelpe meg opp. Jeg heiste meg opp på albuene og så Mogens snu seg og gå litt ustøtt tilbake til bordet i det borterste mørke hjørnet. Vennskapet vårt var over, og straks begynte jeg å savne det, som det en gang hadde vært, som det hadde kunnet bli, men alle somrene var borte, og ikke bare fordi jeg hadde glemt dem etter femogtjue år, men fordi det ikke lenger var noen vits i å huske dem.

21

Det var snart jul, jeg hadde stått ved maskina et halvt år. Jeg prøvde å sette hvert eneste partivedtak ut i livet, men jeg fikk det ikke til. Jeg stilte som kandidat til klubbstyret og fikk fire stemmer; to fra faren min sine gamle venner, de turte ikke annet, og Ellys stemme, og stemmen til han som gikk med kosten. Han var dau-hørt og rakte hånda i været på feil tidspunkt. De kalte meg Lille Stalin, men jeg hadde aldri sagt noe om Stalin, jeg hata Stalin, han hadde ødelagt alt.

Men sjølve arbeidet gikk strykende, det var det som var merkelig. Jeg var ikke dårligere enn de andre, men var heller den raskeste på førstelaget, den nøyaktigste, det falt meg lett uansett hva jeg gjorde i den etasjen. Jeg hadde stor glede av det meste jeg gjorde. Av rytmen ved båndet, av den rivende lukta fra smeltekammeret, av å kjøre den elektriske trucken gjennom flappdørene av hardplast ut til rampa med en fullstabla pall med plastikkinnpakka bunker på gaflene, og så svinge nøy-aktig på femøringen inn mot akterenden av lastebilen og kjøre inn på planet som fjæra lett under trucken og slippe pallen sakte ned på centimeren riktig plass og så rygge ut og snu for å hente en ny.

De jeg kjente fra skolen i Dælenenggata ville sagt jeg var tapper, men også sagt at det var kjedelig og sannsynligvis nedbrytende for hjernen å gjøre de samme bevegelsene om og om igjen på den måten som jeg skulle gjøre hver eneste dag så langt fram som det var mulig å skue, men, helt ærlig, det gjorde meg ingenting. Det var en overraskelse, også for meg, at arbeidet gjorde meg fri til å tenke på alt mulig annet jeg syntes var viktig eller drømme meg bort når ståket ble stort. Jobben var ikke vanskelig, men den stilte krav til kroppens presisjon og rytme og samarbeid med andre kropper, og jeg likte å kjenne hvordan kroppen min fór rundt i lokalet for å finne en mekaniker eller dra ned med vareheisen til trykkeriet under, eller bare stå ved båndet ved sida av Elly og la alt gli lett og rett på sekundet og så i de få minuttene opphold, å komme ei side videre i boka jeg leste for tida, *Myten om Wu Tao-tzu* av Sven Lindqvist, der det står:

Er sosial og økonomisk frigjøring mulig uten vold? Nei. Er den mulig med vold? Nei.

Det var noe å tenke over, og det gjorde jeg også, mens dagene gikk den ene etter den andre, og likevel ble det ikke som jeg hadde tenkt meg på forhånd. Det var et politisk juv mellom meg og de andre i hallen, og hver eneste gang jeg prøvde å føre samtalen inn på de to linjene i fagbevegelsen, den røde og revolusjonære, den blå og konservative, klappa de meg bare på skulderen og lo og gikk hoderystende bort for å sitte på en pall og røyke en sigarett når det var pause, eller gå trappene to etasjer opp til kantina for å spille et slag kort når det var lunsj. Og enda faren min hadde vært der i mange år og var likt av alle, og alle var nødt til å si hvor like vi var, så ville jeg ikke være som han, ville ikke like jobben min som han hadde likt sin. Jeg følte meg ikke som han og hadde aldri gjort det. Jeg ville være annerledes. Jeg ville gjøre en forskjell og være et skille i tida. Men det var jeg ikke, og det gikk plutselig opp for meg at det kanskje var umulig å legge den Arvid bak meg, som jeg hadde vært opp til dette punktet i mitt liv, å vende han ryggen på den måten som jeg hadde prøvd, å heise han etter håret for så å senke han ned i en annen Arvid jeg ennå ikke kjente og ikke visste hvem var; med vitende og vilje forlate en Arvid jeg fikk applaus for å være av dem jeg likte best, som vinka og ropte kjærlige navn når jeg passerte dem på hellegangen foran huset hjemme, en Arvid som fikk hundrelapper av mora si når han var blakk, men i stedet hadde gjort som jeg hadde gjort, og gått inn i fjerdestanden som egentlig ikke fantes lenger, men var en anakronisme, en historisk feilplassering. Og kanskje var det det jeg var blitt. En historisk feilplassering. Eller jeg hadde en brist i karakteren, en sprekk i grunnmuren som år etter år ville sprenge seg større.

Så var det dobbeltskift igjen, det var kvelden og overtid om natta, og det begynte å tære. Jeg var forvirra, jeg følte meg snytt. Jeg tok T-banen hjem, og så fikk vi stopp på Hasle stasjon fordi en mann datt i golvet i midtgangen. Han sprella med armer og bein, epilepsi sannsynligvis, jeg hadde ikke sett et slikt anfall før. Hodet hans slo mot golvet, og de fleste i vogna var så trøtte at de visste ikke hva de skulle gjøre og ville ikke trekkes ut av den søvnige bobla de befant seg i, og derfor ble de stående stille og brydd, og det ble jeg som måtte hale meg ut av min egen boble til det grelle livet og gi ordre om å holde han fast så han ikke skulle slå seg helseløs mot stanga eller døra. Det var jeg som løp opp igjennom vogna til togføreren for å varsle, fordi jeg var kommunist eller speider, en av de tingene, men det gikk bra alt sammen til slutt, og jeg kom ut av vogna ved den blå stasjonen og gikk videre opp hellinga og ut gjennom dørene med et dreiende luftig hjul som ei vindmølle i hodet. Det var morgen og en skarphet i lufta jeg ikke var vant til, et konstant og fiktivt lys mot øynene. Jeg begynte å myse og brukte solbriller i all slags vær, jeg hadde et sår i halsen som ikke grodde, en naken flekk, som en luftveisinfeksjon.

Stasjonsdørene slo igjen bak ryggen min, og der kom plutselig Elly gående opp Grenseveien fra Carl Berners plass i lys kåpe, ei veske i blått skinn over skulderen, en sigarett mellom fingrene. Vi kolliderte nesten. Hun stoppa, og jeg stoppa, og det var ikke mer enn en meter imellom oss. Jeg ble sjenert av å se henne i andre klær enn det blå arbeidsforkleet, hun så fremmed ut og var kvinne på en vanskelig måte. Jeg kjente at jeg rødma, og hun sa:

– Hei, Arvid. Står du der og tar deg ut?

Jeg kjente duften av parfymen hennes blande seg med vinterlufta og bli hengende der, og parfymen var nok i sterkeste laget, men fikk i hvert fall det til å skje i mellomgolvet mitt som vel er hele poenget med parfyme.

– Nja, jeg er vel egentlig på vei hjem for å sove, jeg har gått dobbeltskift, i går kveld og i natt. Jeg hadde lyst til å fortelle om mannen som falt inne i vogna og sprella, men jeg hadde ikke den energien.

– Da er du nok surrete i huet, sa hun, og det sa jeg at jeg var, og så sa jeg:

– Men du tar vel ikke toget fra Carl Berner, du?

– Jeg holder på å flytte, sa hun, – det er derfor jeg er litt sein òg. Han jeg bodde sammen med før, skal vi ikke snakke om, den jævla idioten. Jeg har fått meg leilighet nesten nede ved Munchmuseet, rett overfor Tøyenparken, så jeg kunne vel ha gått til Tøyen stasjon også. Du kan vel komme på besøk, nå som vi bor så nær hverandre, sa hun, – vi kunne hatt det fint. Hun smilte.

– Jo det er klart, det hadde vært fint, det, sa jeg, og jeg visste ikke om jeg kunne besøke henne, jeg trudde ikke det, men hun sa adressa si høyt.

– Den kommer jeg aldri til å huske, sa jeg.

– Nei, men vent litt, da, sa hun og leita i den blå veska og fant en brukt konvolutt og en penn, og hun var jo nesten førti år og jeg så vidt over tjue.

– Snu deg, sa hun og smilte, – og len deg litt framover. Jeg snudde meg og lente meg framover, og da skreiv hun adressa si veldig sakte på konvolutten mot ryggen min, og parfymen kjente jeg sterkere, og hendene hennes mot ryggen min gjorde sårheten i halsen enda tydeligere, og den var mjuk også, måten hun rørte meg på, og det føltes som om jeg var på gråten. Men det var jeg ikke, og Elly stakk konvolutten med gate og nummer i lomma på jakka mi, fortsatt sakte, fortsatt stående bak meg, lent over meg, og hun ga meg en klem den veien, bakfra, og jeg kjente munnen hennes mot øret mitt og duften av parfymen og kroppen hennes hele veien ned i den lyse fremmede kåpa, og hodet mitt ble fylt av formløse, ville tanker.

*

Jeg kom hjem og ut på kjøkkenet og tok juicen fra kjøleskapet, og stående lent mot kjøkkenbordet, drakk jeg et stort glass og gikk inn i stua og dro sengetøyet ut fra bak sofaryggen og la meg under dyna og ble liggende og stirre i taket. Jeg prøvde å samle alt jeg hadde i hodet til én rett strek.

Jeg sov til langt utpå ettermiddagen og lå fortsatt på sovesofaen da hun kom opp fra skolen med trikken. Hun låste seg inn, og jeg hørte henne kle av seg yttertøyet i gangen. Klærne mine hang jo der, så hun visste jeg var hjemme, men hun gikk bare videre ut på kjøkkenet som en voksen kvinne med faste vaner etter mange år i samme bolig og fylte kjelen med vann og satte den på magasinet. Jeg hørte dråpene frese mot plata. Hun drakk alltid te når hun kom og kasta ikke lenger opp om morgenen og reiste bare hjem et par ganger i uka. Kanskje var dette hjem nå. Så dro hun bøkene opp fra sekken og la dem på kjøkkenbordet der ute og ble sittende én time eller mer med lekser, og jeg lå i forventningsfull døs i stua, og så kom hun inn og la seg inntil meg under dyna, og etterpå satt vi på sovesofaen med dynene omkring oss som vi pleide å sitte, og det var kvelden ennå, det var tidlig mørkt som det var i desember, men ikke helt mørkt. Jeg røyka en sigarett, og gloa lyste, og den gråhvite røyken kveila seg så vidt synlig over hodene våre og dro med trekken langs veggen og ut gjennom vinduet som sto åpent mot Finnmarkgata. Der ute kom trafikken fortsatt susende i begge retninger, og billyktene blinka i det doble glasset og svingte over Mao og videre helt inn til sofaen. Ved krysset skifta trafikklyset grønt over gult til det seige røde og tilbake igjen. Vi var varme og svette og helt sikkert blanke i huden, og jeg tenkte ofte at hvis noen så oss som vi satt på den måten, ville de sett noe som de aldri kunne få, som mangla i livene deres, og så ville det være som en torn i kjødet.

Jeg ga henne sigaretten, men hun tok den ikke imot. Jeg snudde meg. Hun så ned i dyna.

– Hei, sa jeg.

– Hei, sa hun.

– Er det noe feil, sa jeg.

– Nei.

– Er du sikker.

– Du var annerledes denne gangen, sa hun.

– Hvordan annerledes da, sa jeg.

– Jeg veit ikke. Bare annerledes.

– Var det ikke godt, hadde du det ikke godt.

– Jo, sa hun.

– Det er vel fint.

– Joda, sa hun, og beit seg i leppa og så ned i dyna og gråt stille. Hun hadde kanskje gråt siden vi lå sammen, og så hadde jeg ikke hørt det og hadde ikke sett det. Jeg la armen rundt skuldrene hennes og dro henne inntil meg.

– Men det er jo bare du og jeg, sa jeg, – bare du og jeg, og vi gjør ting som ingen andre veit om, og de vil så gjerne vite hva vi gjør, og så blir de lei seg, for de lengter etter å ha det sånn som vi har det, men det kan de ikke. De veit jo ingenting. Bare du og jeg kan ha det sånn, og jeg klemte henne hardt, og armene hennes hang rett ned langs sidene. Hun la dem ikke rundt skuldrene mine og la ikke hendene noen av de stedene hvor hun pleide å legge dem. Hun gråt og sa:

– Men det føltes ikke sånn. Det føltes som om alle kunne se hva vi gjorde. At det ikke bare var oss.

Jeg visste ikke hva jeg skulle si. Jeg slapp henne og tok de siste trekkene av sigaretten og lente meg over og stumpa den i askebegeret mellom bokstablene på bordet. Jeg strøyk henne over ryggen.

– Var du hjemme i går kveld, sa jeg. Jeg visste at hun hadde vært hjemme.

– Ja, sa hun.

– Var det ille?

– Ja, det var det.

– Kanskje du bare er sliten, sa jeg, – du kan jo sove litt, sjøl om det ikke er så seint, det gjør vel ingenting det. Har du lekser?

– Jeg gjorde dem da jeg kom. Jeg har bare litt igjen, og det kan jeg gjøre bak Deichman i morgen. Det er ikke så kaldt heller.

– Der ser du. Da kan du jo bare sove da.

– Jeg er litt sliten.

– Jeg kan ligge her ved siden av deg. Jeg skal ikke på møte eller noenting.

– Så fint, sa hun, og vi la oss ned, og jeg dro dyna over henne og holdt henne fast til hun sovna, og da sto jeg opp og gikk naken ut på kjøkkenet og satte meg ved bordet og rulla en ny sigarett. Jeg frøys inntil vinduet og tente sigaretten med en fyrstikk jeg så vidt kunne holde. Jeg forsto ikke hvordan hun kunne kjenne det, at jeg hadde tenkt på en annen.

22

Jeg våkna av duren fra en bil som kom kjørende. Jeg visste ikke hvor jeg var eller i hvilken tid på døgnet. Jeg var uten navn og hjemløs i tida. Jeg kunne vært tolv år, jeg kunne vært åtteogseksti. Så slo jeg øynene opp og stirra i køya rett over meg og kjente igjen den køya fra alle åra som hadde gått og kjente igjen mitt eget liv og kvelden før i hver eneste detalj, og da var jeg tilbake i sommerhuset med et smell. Men det føltes ikke riktig, og det var som om noe annet, mer passende, mer flatterende for min person ble borte med søvnen.

Jeg hørte bilen stoppe og bli stående med motoren i gang, og så vrei noen nøkkelen om i tenninga. Det ble stille. Da jeg løfta hodet fra puta og lente meg forsiktig over mot vinduet og kikka ut, kunne jeg se det var ei drosje. Det var grålysning i lufta, som tørt pulver, som pepper, det var svart og grått om hverandre, og bilen var svart i lakken med dørene vendt mot huset, og da så den jo ganske anonym ut, men det var likevel en Audi, helt opplagt en Audi, og lyset på taket var ikke tent. En ung sjåfør kom ut og rundt bilen og opp langs huset. Han skritta over to av furugreinene som lå der over ende og sykkelen min som lå velta mot stammen. Han gikk videre fram til terrassen, og da kunne jeg ikke se han lenger. Jeg forsto ikke hva han gjorde her. Jeg svingte meg ut av den nederste køya i en viss fart, åh, jeg hadde vondt i hodet, åh, jeg hadde så vondt i hodet, for mange halvlitere, det var i hvert fall sikkert. Jeg tok meg mot kinnet, og det banka der inne i brusk og i bein, og buksa tok jeg fra ryggen av stolen som sto foran senga, og trøya tok jeg, og den koksgrå genseren med røde linninger som én gang hadde tilhørt faren min og for så vidt fortsatt gjorde det, han var jo ikke død eller noe, og alt sammen tok jeg i samme slengen under armen og kom meg ut i den lille gangen foran do hvor et av bildene som broren min hadde malt hang på en spiker så vidt til høyre for døra, og det var stranda her nede på det bildet, i nesten oransje morgenlys med en mulig bit av Læsø helt flat mot øst og Hirsholmen i synsranden med fyrtårnet rett opp i himmelen. Så hinka jeg forbi kjøkkenkroken og helt ut i stua. Der fant jeg mora mi stående fullt kledd foran speilet, i blå jakke med hvite blomster og marineblå bukser, krøllene rett opp fra hodet i et nyvaska brus. Med den ene hånda dro hun en rød leppestift over munnen, i den andre holdt hun den blå dameveska, over armen lå kåpa. Den var lys, kremfarga, nesten hvit. På golvet sto en bag av blått lerret. Gummistøvletter med glidelås. Men øynene hennes var merkelig smale, som om hun bare orka myse inn i speilet.

Sjåføren sto ute på terrassen og venta. Hansen sto der med lyset fra stuevinduet mot låret og mot albuen, den ene sida av ansiktet opplyst, som ved et leirbål nesten, et lys sånn som dét, og fra motsatt side så forskjellig, det grå pepra lyset fra himmelen. Sjåføren kunne ikke være mer enn et par og tjue år. De smilte til hverandre og lo og småprata med begge hender stukket ned i lommene. Kanskje de kjente hverandre, Hansen og sjåføren. Byen var jo ikke stor. Hansen var også fullt kledd, i mørk jakke og lys bukse, et uvant syn, som skulle han i fint besøk, i bryllup eller bursdagsselskap, eller kanskje et jubileum. Jeg hadde aldri sett han så velkledd. Det han hadde av hår var kjemma stramt over hodet med vann, han hadde krøller i nakken, og jakka stramma godt over magen.

– Skal du noen steder, sa jeg, – nå? Hvor mye er klokka? Skal du dra noe sted sammen med Hansen?

– Vi ville ikke vekke deg, sa mora mi. – Du sov så tungt.

– Vi? Hva mener du med vi, sa jeg. – Men det er vel klart du skal vekke meg, sa jeg. – Du kan jo ikke bare dra av gårde på den måten. Vi må vel snakke om det først.

– Jeg har ting jeg skal gjøre, sa hun, – det er for så vidt ikke noe å snakke om. Ikke er det så innviklet heller. Hva er det i veien med kinnet ditt?

– Det er ingenting i veien med kinnet mitt, sa jeg, – det gjør ikke vondt engang, men det gjorde jo vondt, det gjorde skikkelig vondt, – med Hansen, sa jeg. – Har du snakka med Hansen om det? Om hva da? Og hva med meg?

– Ja, hva med deg, sa mora mi.

Jeg trakk pusten. Jeg så på henne.

– Jeg skal vel ikke være igjen her når dere drar, sa jeg.

Jeg kunne høre min egen stemme. Det var pinlig. Det var som om den ikke kom ut av munnen min i det hele tatt, men fra et helt annet sted, fra ei annen tid, den var så barnslig, den var så sytete, og den var tynnere og mer skjærende enn før. Jeg har egentlig en fyldig stemme, det

199

er jeg sikker på, men jeg greide ikke gjøre noe med den. Den bare holdt det gående. Det var som strøm i magen. Elektrisk strøm. Hvis jeg la hånda mot huden der, rett over navlen, var det au, au, og veldig vondt.

– Vi hadde jo tenkt å være borte bare to dager.

– Da blir jeg med, sa jeg.

– Du er syvogtredve år, Arvid.

– Hva har det med noenting å gjøre, sa jeg, og jeg sto der nesten naken med armene omkring klesbylten og knærne lett kalvbeint mot hverandre.

– Du må vente bare et øyeblikk, sa jeg, – så kommer jeg. Og jeg løp tilbake og fikk i forbifarten øye på lappen hun hadde skrevet, som lå midt på bordet, og videre løp jeg ut på det knøttlille badet med klærne i armene fortsatt og la dem i en haug på dolokket og kasta vann i ansiktet, kasta vann under armene og vann i håret, og dro håret så stramt bakover som det bare lot seg gjøre og unngikk mitt eget ansikt i speilet. Jeg fant en deodorant som sto igjen etter faren min sitt siste besøk, Old Spice, så det ut som, rød i lakken, hvite slyngende bokstaver, og jeg dro den kjapt over armhulene, og duften sto godt til klærne, og to paracet fikk jeg ut av ei eske som lå der og svelga dem med munnen mot springen, og springen den smakte av metall, og det var litt i overkant, faktisk. Det bølga i magen, og jeg børsta tennene mens jeg prøvde å tenke på noe annet.

Da klærne var på, gikk jeg tilbake til stua. Jeg så mora mi stå på terrassen, hun tok sjåføren i hånda, han smilte valpeaktig lykkelig, og så slo hun armene ut i en oppgitt bevegelse. Og Hansen, han smilte litt skeivt og oppgitt han òg, så det ut som, men det brydde meg ikke. Jeg ville ikke være igjen aleine.

Jeg tok losjakka fra knaggen ved døra og dro den på meg over faren min sine slitte klær, og jakka var ikke lenger så rein, så jeg børsta bøss av den foran og gnei den med hånda både fram og tilbake langs de verste krøllene på slaget og knepte den doble rekka med knapper som hadde et anker prega inn i metallet hver eneste én, og så var det støvlene med all snøringa. Det gikk faktisk greit, alt tatt i betraktning, og i et plutselig blaff av visdom løp jeg bort til benken der flaska med calvados sto. Den så like full ut fortsatt, nesten urørt, og det var jo merkelig, men jeg åpna jakka og stakk den slanke flaska ned i den romslige lomma jeg hadde på innsida. Så gikk jeg endelig bort til døra og ut til de andre.

– Skal vi dra, da, sa jeg.

De plasserte meg foran i bilen, ved sida av sjåføren, og sjåføren likte ikke det, han ville heller hatt mora mi der. Men det fikk være som det var, det var det samme for meg hvor jeg satt, og jeg så ikke på han engang og lente meg bakover i setet og kjente meg overmanna av trøtthet. Vi svingte ut og ned veien, og plutselig kom fru Kaspersen syklende i motsatt retning på sin svarte doning på vei ut til sommerhuset sitt. Hun snudde seg og stirra inn i bilen og måtte ha kjent oss igjen, men hun hilste ikke. Det så ut som hun gråt.

Det var stille i bilens mørke. Ingen sa noe. Jeg lukka øynene. Det kom ulne, grå lyder fra lufta omkring oss og fuktige lyder fra stranda. En stum lyd kom summende opp fra asfalten, kom dirrende opp gjennom beina, gjennom magen, og så sovna jeg med alt dette omkring meg, og da jeg slo øynene opp, sto bilen stille.

Jeg hadde ikke lenger så vondt i hodet. Til venstre var lyktene ved verftet tent og lyskastere pekte mot skroget av et skip med logoen til DFDS malt på pipa, og de siste skyggene ble splintra av sveiseapparatenes sprut av lys langs sømmene i de rustfarga stålplatene. Helt ute kom en båt inn fra havet gjennom åpninga i moloen med den lyseblå baugen høyt og akterenden lavt og lanternene fortsatt tent, og det så vel ut som en fiskebåt, men en av de få da, fra havna her. Det var demring og nesten dag. Til høyre lå en passasjerbåt ved kaia. Den var ikke like stor som fergene som gikk i trafikk mellom byen her og Oslo, Göteborg. Det sto F/L i blått på pipa, og da var det ferga til Læsø. Jeg åpna bildøra og svingte meg ut på kaia og sa:

– Er det til Læsø vi skal? Men det var ingen som svarte, og jeg snudde meg og så inn gjennom vinduet til setet bak i bilen der mora mi satt sidelengs lent opp mot seteryggen med øynene lukka, stiv som en stokk i kroppen og med stramme lepper. Hansen holdt begge hender rundt den ene armen hennes og sa så jeg fint kunne høre det:

– Har du det ikke godt? Skal vi snu og reise tilbake? Vi kan jo gjøre det her en annen dag, sa Hansen. – Vi kan gjøre det hvilken dag som helst. Jeg skal ingen steder hen.

– Nei, det går fint, sa mora mi, – jeg ble bare litt sliten, og så fikk jeg litt vondt, men det går over om et øyeblikk, sa hun, og jeg hørte hvor ullen, hvor tilbakeholden stemmen hennes var, som kom den fra bunnen av en brønn, og det slo meg at jeg hadde glemt hvorfor jeg var her, at teflonen jeg hadde i hjernen hadde vist sin glatthet, sin sleipe motvillighet igjen, og jeg følte

meg så oppgitt og trøtt av meg sjøl at jeg tok ett skritt
fram og sa inn gjennom den åpne bildøra:

– Mamma, jeg blir ikke med. Det er helt i orden.
Kors på halsen. Jeg bruker beina tilbake til sommer-
huset, jeg har gått den veien før. Faen, jeg gikk den jo
i går. Eller når det var. Men hun lente seg fram i setet
med et lavt stønn, åpna bildøra, tok tak i karmen og
sa:

– Herregud, ikke vær så ubeskrivelig dum. Nå blir
du med oss. Og jeg ga henne armen, og hun tok et godt
grep i jakka mi og dro seg sakte opp av setet og kom
helt ut på kaia med beina først, og da holdt jeg henne
hardt rundt armen og ville ikke slippe, for alt i verden
ville jeg ikke slippe, og hun sa:

– Men Arvid, det holder nå, jeg er oppe å stå, det
greier seg fint, og jeg sa:

– Mamma. Og så begynte jeg å grine, og jeg greide
ikke stoppe, og det var vel det samme for meg om Han-
sen kunne se det, og da slapp jeg armen hennes og løp
rundt bilen, la panna mot panseret og grein som jeg
ikke hadde grini noen gang, og slo hendene hensynsløst
i panseret til Audien, løp rundt igjen og slo hendene i
det blanklakkerte bagasjelokket, og de kunne for faen
meg glane om de ville, de som var interessert, og så løp
jeg mot båten og lente meg mot skroget med det svarte
vannet rett under meg langs brygga, og det så iskaldt ut
det vannet, og jeg grein og snudde meg, og den unge
sjåføren med sitt tåpelige flir han sto til knes i sjenanse
og hadde ingen steder å feste blikket, for han var så ung
ennå, at han visste ikke hva han hadde i vente.

– Jaja, Arvid, så er det bra med deg. Det holder fint
nå, sa mora mi, og jeg grein, og hun klappa meg litt

keitete på skulderen, og hun klappa meg igjen, men denne gangen hardere og sa:

– Ja, det er nok nå, hører du, og da holdt jeg endelig opp. Hansen kom bort og var tydelig flau på mine vegne, og så gikk vi om bord. Jeg hadde ikke billett, men det gjorde ingenting, for båten var aldri full så tidlig på morgenen. Vi kom helt inn over landgangen, og mora mi tok opp den brunslitte pungen hun alltid hadde hatt i veska og betalte de kronene jeg kosta.

23

Vi sto hånd i hånd på trammen. Det var et feriehjem. Jeg hadde vært der én gang før, men da var det sommer, og skyggene falt ikke like langt som de gjorde nå. Vi hadde reist ut hit for å være aleine. Det var bitende kaldt. Vertinna kom rundt fra bak hovedhuset, opp hellinga fra vannet i blå dynejakke, ei bøtte i den ene hånda, det var fisk i den, abbor antakelig, men jeg hadde ikke fiska siden jeg var gutt og huska ingenting om fisk. Vertinna så meg i ansiktet og videre på henne ved sida av meg og så at hun var veldig ung og så tilbake på meg. Hun sa:

– Er det dere som skal leie?

– Ja, sa jeg.

– Jeg venta dere ikke før i morgen?

– Det var i dag, sa jeg.

– Var det, sa hun.

– Det var nok det, sa jeg.

– Ja, da var det vel det, sa hun. – Det spiller for så vidt ingen rolle, det er ikke andre her disse dagene enn dere to, det er tomt overalt, så da kan dere jo ta hvilken hytte dere vil.

Jeg visste nøyaktig hvilken hytte jeg ville ha. Jeg ga henne nummeret. Hun åpna døra, satte bøtta fra seg i entreen og tok nøkkelen fra ei tavle jeg kunne se på veggen, med små kroker i flere rekker, ett nummer for hver krok identisk med nummeret på plastbrikken festa til nøkkelringen.

– Det er ved i en stabel bak hytta. Bruk så mye dere vil, og er det noe annet dere trenger, så bare si ifra.

– Det skal vi, sa jeg, – men jeg trur vi greier oss.

– Jeg kjører til butikken i morgen tidlig, om det er noe dere vil jeg skal kjøpe, sa hun, og da sa vi begge takk, og i så fall kom vi opp.

Vi gikk av trammen og over plassen foran huset der kiosken var stengt til venstre og VG-vimplene på hver side av luka tatt inn og forbi en traktor med presenning over og videre bort en sti langs flere hytter litt hulter til bulter mellom trærne og ned til den siste rødmalte hytta ved sjøen. Grunnmuren var satt opp rett ifra svaberget og var høy på den sida mot vannet og lav på den motsatte med svalgangen og døra inn fra stien. Fra vinduene var det utsikt over bukta til berget på den andre bredden der furuene sto høye og søyleaktige helt ned til vannspeilet. Helt innerst i bukta var det en kolonialbutikk om sommeren, når gjestene var mange. De kunne ro dit fra alle kanter av sjøen, og da lå båtene ripe mot ripe i lang rekke, et festlig syn, sa ei dame til meg da jeg var her sist, men butikken var jo stengt nå.

Noen timer før hadde vi tatt bussen fra Ankerløkka, en fin plass ved Akerselva i Oslo, fylt av høye hybelbygg i dag, men som den gangen var busstasjon, rett overfor Jakob kirke, bygd av rød teglstein som de fleste andre kirkene i Oslo. Den var pen å se på der den sto bak de nakne lauvtrærne som dro seg ned i allé langs veien mot Eventyrbrua og elva.

Vi gikk på bussen der, ved Ankerløkka, og satte oss bakerst, og kort etter svingte den rolig ut i Storgata nøyaktig etter rutetabellen, og bussjåføren var som han er i sangen, i godt humør. Og vi kjørte gjennom østkanten, gjennom Grønland og Gamlebyen og videre mot sør på Mosseveien, og vi kjørte bakkene opp ved Ljan stasjon eller Herregårdsveien opp, eller opp en tredje trasé, jeg husker i så fall ikke hvilken, men helt sikkert ned mot Hauketo like etter, uten alle boligblokkene den gang, uten rekkehusene, men mer som det var på landet, mer som det var i skogen. Dieselmotoren fikk busskroget til å vibrere i stigningene og sendte ilende dirrende bølger gjennom kroppen opp låra til magen, og det var en nesten erotisk følelse, og hun holdt seg med begge hender mot magen helt nederst og sa:

– Mer, mer, jeg vil ha mer, og la an et nytende smil om munnen i en lang, løs strek og kneip øynene sammen. Men så løfta hun hendene og lo sjenert. Og vi sang sangen til Folkets frigjøringshær helt lavt for oss sjøl. Vi sang:

> Hver soldat i folkets store hær,
> husk hvor viktig disiplinen er.
> Vi har tre hovedbud,
> vi har åtte regler som er loven
> for en revolusjonær,

og så videre, og bare et par av de andre i bussen snudde seg. Vi lo litt av dem, og vi lo av sangen også, det måtte vi jo, der vi satt i en buss på vei gjennom skogen i et land som het Norge, der kampen mellom klassene helt opplagt gikk for seg hver eneste dag, men ikke spesielt tydelig for de fleste, ikke spesielt heftig. Uansett hadde sangen en fin rytme, det var jo en marsj, og vi dunka takten mot setene foran mens vi sang.

Den røde, nesten burgunderfarga bussen med de lyseblå feltene langs vinduene kjørte videre uten hast mot krysset ved veikroa der Hauketo stasjon lå ned til høyre og skiltet mot Enebakk pekte til venstre. Og det var mot Enebakk vi tok av, og alt var som det var her sist, hver sving i veien, alle holdeplassene med treboder og rustne skilt, alle kioskene som var stengte nå og sto tydelige i sin slitenhet mot den gjennomsiktige skogen bak, fylt til randen av tomhet og tid som kom og ble borte igjen, uten Kvikklunsj i hyllene, uten Melkesjokolade fra Freia Chokoladefabrik, uten sigarettpakker i fargerike rekker: Winston, South State, Blue Master og Tiedemanns Teddy, hvor ikke ett merke hadde filter.

Været hadde nettopp slått om fra søle og regn, det var vinter i lufta, kald luft, klar luft, men i bussen var det varmt mellom setene. Vi var bare ti passasjerer eller færre om bord, enda bussen var den eneste den dagen på den tida av året. Ingen fra fjerdestanden, ingen fra arbeiderklassen skulle ut til feriehjemmene ved sjøene nå i november, ikke Spikerverkets ansatte, ikke én familie fra Stein, og Jordarbeidernes fagforening for å feriere ved bredden av den fine innsjøen Lysern, for å fiske i en av buktene, for å ligge på ryggen over toftene i en av robåtene med åreblader i lufta og Arbeiderbladet i hendene, eller for ingenting annet enn å stirre opp i det blå etter enda et år med akkord og dobbeltskift i kroppen.

De andre i bussen bodde fast langs hovedveien, så det var bare vi to som skulle helt ut til feriehjemmet. Vi satt bakerst i sofaen og så ut gjennom vinduene hvordan det frostkalde glitrende støvet virvlet opp i dragsuget etter bussen, eller i kjølvannet, som etter en båt. Der ble det i hvert fall hengende som gule gardiner på tvers av den krokete veien og ble dratt til side av vinden og dalte etter hver sving og dreiv inn mellom trærne og ble borte.

– Gleder du deg, sa hun.

– Ja, sa jeg.

– Det gjør jeg, sa hun.

Om høsten og vinteren stoppa bussen i krysset ved hovedveien, riksvei 120, og kjørte ikke helt inn, det var en overraskelse, da ble vi nødt til å gå. Og vi gikk. Grusveien var hard som betong i de ferske minusgradene og stubbmarkene dekka av meliskaldt rim. Så hardt var det øverste laget av veien frosset til, at det sang under støvlene for hvert skritt vi tok, lik taktfaste slag på en spansk gitar, og én time gikk det før vi var framme.

I hovedhuset var det stille da vi kom over plassen, det var stille i den kalde lufta på trammen der vi sto og sendte vifter av frostrøyk fra munnen, og nærmest skumring var det allerede og et gjennomsiktig blått lys over sjøen og et dempa gult lys omkring lampa på veggen over døra. Vi banka på døra og ringte forsiktig med ei bjelle av messing på den høyre sida av trammen, og kort etter kom ei dame i blå dynejakke rundt fra bak huset, opp stien fra vannet med ei bøtte i hånda.

*

Jeg låste opp døra og slapp henne inn og slapp bagen foran døra og gikk rundt og bak hytta for å hente ved fra vedstabelen og gikk tilbake med armene fulle helt opp til haka, men da jeg kom inn, var det allerede fyr i ovnen. Det lå vedkubber i en dunk i en krok. Jeg kjente etter om jeg syntes det var dumt at det var hun som hadde fått i gang ovnen i stedet for meg. Men det gjorde jeg ikke.

– Det der kan du, sa jeg.

– Speider'n, sa hun. – Jeg slutta for to år siden. En gang speider, alltid speider, sa hun og sang: *Kjære far i høye himmel, hør mitt hjertes stille bønn, la det brenne veldig lenge, la det varme enda lenger, sånn at vi som kneler her på golvet, får det deilig under dyna.* Og hun rødma som hun alltid gjorde, men jeg syntes hun var morsom. Hun var morsommere enn jeg var.

Vi sov lenge neste morgen. Da jeg våkna var lyset så vidt på vei, og det var dis og hvit tynn is over vannet til den andre sida av bukta som hadde noen helt den ut av ei mugge med skumma melk og latt den stivne der. Jeg kikka på klokka og dro buksa på meg og genseren over hodet og trakk døra helt stille igjen på vei ut og gikk opp til hovedhuset. Vi hadde for lite røyk, jeg kom på det med én gang jeg våkna.

Det var kaldt som faen opp stien mot huset, og forbi traktoren så jeg Forden hennes stå foran kiosken og småriste i kulda med eksos i hvite støt ut av røret bak. Hun skrapte is av vinduene på den motsatte sida av bilen. Jeg gikk rundt og sa:

– Fy fader, det er kaldt, og hun nikka og smilte og skrapte bare videre, og jeg venta og trippa rett bak henne med nakne føtter i de åpne støvlene. Så ble hun endelig ferdig og kasta den blå plastikkskrapa inn i passasjersetet foran.

– Vi glemte ekstra røyk, sa jeg. – Gidder du? Jeg fomla med stive fingrer i lomma og fikk opp pakka for å vise henne hvilket merke jeg ville ha, i tilfelle hun ikke hadde peiling på tobakk.

– Javisst, det går fint, sa hun, og jeg ga henne det hun trengte av penger, og hun så på meg og sa: – Fryser du ikke i bare den der? Og det gjorde jeg jo. Genseren jeg hadde på meg, var den første hun som sov nede i hytta hadde greid å strikke ferdig, og huden min syntes tydelig gjennom de grove maskene. Jeg veit ikke, jeg syntes vertinna så på meg vel grundig, vel lenge, før hun endelig satte seg i bilen og kjørte over plassen foran huset opp grusveien mot riksvei 120 og butikken.

Jeg snudde meg og gikk tilbake ned stien til hytta.

Da jeg kom inn, gnei jeg hendene hardt mot hverandre og ørene gnei jeg så hardt at det svei. Jeg gikk bort til ovnen og åpna ovnsdøra på vidt gap og la vedkubber inn i kammeret så det så ut der inne som Stonehenge ser ut og dytta sammenbretta sider av årgamle VG inn i åpninga mellom kubbene. Jeg satte fyrstikk til papiret og lot det brenne nesten helt inn og gjorde samme øvelsen to ganger til og lot ovnsdøra stå så vidt på gløtt, og da var det nok. Veden var tørr så det holdt, og flammene slikka opp langs innsida av kubbene. Så lukka jeg helt, og det begynte å dure.

Jeg hørte at hun snudde seg i senga og kjente i ryggen at hun så på meg. Hun sa:

– Hei du gutten, kom og legg deg igjen.

– Jeg kommer, sa jeg og dro genseren av meg og buksa og la meg ned ved sida av henne under dyna.

– Å fy fader så kald du er, sa hun. – Å helvete du er kald, sa hun og begynte å gni meg hardt over hele kroppen, og da gikk det jo som det måtte gå, og så lå vi der som vi alltid gjorde, skulder ved skulder, hånd i hånd, og varmen seig inn i kroppen min fra hennes kropp, og jeg visste ikke hva jeg gjorde alle dagene i livet mitt før jeg traff henne, hvor jeg henta varmen fra.

– Skal vi ut og ro når vi har spist?

– Det er is på vannet, sa jeg.

– Men den isen er kanskje ikke så tjukk?

– Neida, den er bare som ei tynn hinne.

– Da kan det vel bli gøy, sa hun, og det var jeg enig i.

– Men først vil jeg bare ligge litt her, sa jeg og lukka øynene, pressa meg inntil henne og sa: – Jeg gikk opp for å bestille mer røyk. Det glemte vi jo. Vi har bare ei pakke, og det er for lite. Jeg rakk hun vertinna så vidt før hun dro. Jeg åpna øynene. – Fy fader, hun stirra på meg lenge før hun satte seg i bilen, sa jeg.

– Hun syntes sikkert du var pen i den genseren.

– Trur du det?

– Det er vel klart. Hun kunne se tvers igjennom maskene.

Jeg lo. – Gjør det noe, syns du, at hun gjorde det?

– Neida. Det betyr jo bare at hun og jeg har noe vi er enige om. Det er vel ingenting gæernt med det. Hun har ikke noe med oss å gjøre.

Jeg lukka øynene igjen og likte svaret jeg fikk, som var svaret jeg ønská meg. Jeg hørte duringa fra ovnen, det ble varmt i hytta med den søte duften av bjørkeved omkring oss, og tømmeret dufta som noe jeg alltid hadde visst om og alltid hadde likt.

Vi skulle være der bare det ene døgnet og så reise hjem fra holdeplassen ved riksvei 120 litt seinere samme ettermiddag, og jeg tenkte at det egentlig var for lite, vi måtte bruke denne dagen, tenkte jeg, og så sovna jeg, og vi sov begge to, og vi våkna og sovna igjen. Til slutt var vi helt våkne og kledde på oss og spiste frokost og var fortsatt døsne i hodet og gikk ut og ned til vannet og velta robåten over på rett kjøl og fant årene i lyngen under båten og dro den sammen ned over svaberget til vannet og dytta den nesten helt uti. Vi skøyv årene om bord og stakk ei fiskestang inn under toftene. Det var hennes fiskestang. Det knaste i den sprø tynne isen. Jeg skritta forsiktig over i båten og satte meg bakvendt i midten og la årene i åregaflene, og så kom hun tett etter og satte seg knevendt først på bakerste tofta for å dytte oss fra land, og etter det kom hun rettvendt tilbake med ansiktet sitt mot ansiktet mitt. Hun smilte.

– Du kan godt ro du, sa hun.

– Ville du? Jeg glemte visst å spørre, sa jeg.

– Det gjør ingenting. Jeg kan sitte her og se deg slite. Bare ro du.

Hun var sannsynligvis god til å ro. Kano var min spesialitet. Indianer. Robåt var cowboy.

– Jeg er jo mann, sa jeg og lo.

– Det er du i hvert fall, sa hun og så på meg med smale, liksom drømmende øyne.

For hvert tak knaste årebladene i den sprø isen og lagde taggete hull på hver side av den breiere kjølvannsstripa etter båten. Det hørtes ut som motstand, som *Fram* eller *Gjøa* på vei inn i polarisen, dunk dunk, men det var jo ikke det. Det gikk like lett som ellers.

– Dette er gøy, sa hun. – *Den* fine lyden, ikke sant? Er det tungt?

– Neida, sa jeg, – det er like lett som ellers.

Hun hadde to ullundertrøyer med islender ytterst og et lilla skjerf rundt halsen og ei skinnlue på hodet, ei sånn som fiskere brukte i Nord-Norge, i Lofoten, og votter på hendene. Hun var godt polstra og rød i kinnene. Jeg hadde tre rutete skjorter av flanell jeg hadde arva etter faren min, lag på lag, røde og blå, og gode å ha på seg, og genseren hun hadde strikka utapå dem og så jakka og votter. Ikke lue. Det var umandig, og jeg frøys litt på øra, men ikke mer enn det jeg kunne tåle.

– Skal vi fiske nå, sa hun.

– Det kan vi godt. Men da må *du* svinge stanga, jeg har nok med disse årene.

– Det gjør jeg gjerne.

Hun tok av seg vottene og tok stanga fra under toftene, glassfiber, flaskegrønn, og svingte den opp og løsna sluken og holdt tommelen lett mot låsen, og med en rask, nesten usynlig snert sendte hun sluken av gårde. Dette kunne hun, det var lett å se, og sluken slo hull i isen med et sprøtt plopp et godt stykke ute på vannet.

Båten var ei jolle av plast og lå altfor lett på vannet etter min smak og fikk ikke tyngden og farta den kunne ha hatt da jeg endelig kom inn i en rytme jeg mente var riktig, ikke som en trebåt ville. Så jeg strevde for å holde den rette linja, og svett ble jeg, og det irriterte

214

meg, det kunne jeg ikke nekte for. Jeg så ansiktet hennes blusse i den kalde lufta og det ivrige blikket langs det blanke snøret og det hvitskurte vannet, og langs breddene dreiv fortsatt disen mellom trærne og skapte dem om til mystiske figurer fra ei hedensk fortid. Det lå et bleikt strøk av rosa over de røde hyttene langs bukta, og bak disen så vi sola var på vei, og jeg tenkte, hva er du irritert for, dette er jo fint, det er så fint, du kunne ikke hatt det bedre, hvorfor skulle ikke du kunne svette litt.

– Herregud som jeg strever med denne båten, sa jeg.

– Jeg veit det, sa hun, – de er sånn, de der plastbåtene, de er for lette egentlig. Og så fikk hun napp. Hun skvatt litt og ropte: – Der har vi'n! Å, fy faen i svarte helvete, der har vi'n den jævelen. Den skal vi ta! ropte hun, og jeg hadde ikke hørt henne banne på den måten før, og jeg likte det, det er sant, jeg syntes det var spennende.

Hun lot fisken dra litt rundt før hun snurra den sakte inn og heiste den forsiktig over ripa.

– En abbor, sa hun, – og ikke så liten heller.

– Gratulerer, sa jeg, og det mente jeg, og hun lente seg fram og bukka med nakken i et brått fall, som Chaplin ville gjort, eller Pinocchio i tegnefilmen med hodet i ei snor, og lua tippa, og den venstre hånda la hun mot det høyre brystet og holdt stanga i en bue over hodet og lot fisken dingle der.

– En liten fisk til Deres ære, min kjære.

Jeg lo, og sammen fikk vi abboren av kroken og slapp den i bånn av båten der den ble liggende og sprelle, og stakkars fisken, sa hun, og jeg tok en kjepp som lå der til det bruk og slo den temmelig hardt i hodet, og da sprella den litt og så ble den rolig.

Jeg retta ryggen. Jeg kjente sola i ryggen. Disen smelta. Isen smelta. Hun var gyllen i ansiktet, gyllen i håret, og hun løfta ansiktet mot sola og lukka øynene i det sterke lyset.

– Er jeg brun nå, sa hun.

Jeg lo igjen. – Du og jeg, sa jeg. – Bare du og jeg.

– Har vi det ikke gøy, sa hun og smilte. Jeg lot årene hvile. Det ble stille på vannet rundt båten, og hytta lå stille ved bukta opp hellinga fra svaberget, og røyken steig stille fra pipa, og det var ikke til å fatte at noe så fint kunne males i stykker og til slutt bli til ingenting.

IV

24

Framme på Læsø tok vi inn på et lite hotell ved Vesterø havn, der ferga fra fastlandet la til. Det gamle hotellet lå bare et stykke fra kaia, det var enkel gangavstand dit opp bakken, og mora mi sa det gikk greit, hun var ikke invalid. Hotellet hadde utsikt til fiskehavna, der måkene virvla skypumpeaktig over mastene og fylte all himmel som vi kunne se. De var så urimelig hvite langs brystet de gangene sola dukka fram, at det skar oss i øynene. Og det var fiskemåker og hettemåker og tunge gråmåker og oransje og grønne og lerretsfarga seil på båtene og røde bøyer med smellende vimpler og garn spredd ut i vifteform langs bryggene.

– Det er annerledes her nå, sa mora mi.

– Annerledes enn når da, sa jeg.

– Enn for førti år siden.

– Har du ikke vært her på førti år?

– Nei, sa hun.

Vi kom inn døra til hotellet og satte bagene fra oss. Jeg hadde ingen bag, men holdt mora mi sin blå i hånda, og Hansen hadde en bag. Jeg hadde klærne til faren min på meg og den fuktige jakka. Jeg måtte få tørka den ordentlig snart. Den var kald på innsida, jeg kom til å bli sjuk.

Mora mi gikk bort til skranken og tok den brune slitte eldgamle pungen opp av dameveska. Hun hadde visst mye i den og brukte penger som hun aldri brukte penger før, det så påfallende ut, og jeg likte det ikke. Jeg hørte henne spørre etter rom for en som ikke hadde bestilt på forhånd, og det var meg, forsto jeg, og det gikk fint det, på denne tida av året. Hun hørtes frykte- lig dansk ut, og ikke sånn som hun var til vanlig.

Så gikk vi opp til hvert vårt rom. Mora mi var nødt til å hvile en time, og da gjorde vel Hansen det samme. Jeg tok flaska med calvados fra innerlomma og satte den på nattbordet og hengte jakka over en radiator skrudd fast under vinduet, den var god og varm, og rommet var varmt, og jeg satte meg på senga og ble sit- tende og se ut av vinduet mot havna og tenke på for- skjellige ting jeg syntes jeg var nødt til å tenke på. Det fikk jeg ikke mye ut av.

Jeg la meg på ryggen. Senga var mjuk. Jeg lukka øynene, og så ble tida borte, og da jeg så på klokka var en time gått. Jeg tok på meg den dampende jakka og gikk ned trappa for å spise med de andre, og da var de der allerede. Jeg burde vel ha tenkt at det var litt spe- sielt med Hansen ved enden av bordet og ikke faren min. Men det gjorde jeg ikke, og da det gikk opp for meg, fikk jeg dårlig samvittighet.

Vi satt ved vinduet og spiste. Jeg var sulten. Etter en stund bøyde mora mi seg fram over bordet og kikka ut mot veien. To ganger gjorde hun det samme, og den tredje gangen reiste hun seg, tok kåpa fra stolen og sa:

– Javel, så drar vi, og Hansen reiste seg, og denne gangen spurte jeg ikke hvor vi skulle. Jeg lot bare maten bli på tallerkenen enda jeg langt fra var ferdig og reiste meg og ble med ut. Hvor skulle jeg ellers gått. Det sto ei drosje på veien med motoren i gang. Vi satte oss inn som vi satt der sist. Jeg i forsetet ved sida av sjåføren, og de andre bak. Jeg veit ikke hvorfor det ble sånn, om det var noe de bestemte seg for allerede i morges.

Vi kjørte sørover mot Byrum, som var et av de tre større stedene på øya, det var flate enger på hver side av veien ramma inn av strømgjerder og steingjerder og rekker av lave trær som busker nesten, og så noe høyere trær alt etter som hvilken gård som hørte markene til, og de så kalde ut og var reinskurte nå i november. Vi nærma oss Byrum i stor fart. Vi så tårnet de hadde i den byen komme mot oss, og det var ikke veldig høyt, men høyt nok til å synes godt i det vannrette landskapet, som tårnet i en ridderborg med skyteskår, og jeg visste ikke hva de hadde brukt det tårnet til eller hva de brukte det til nå. Kanskje de bare ville ha noe å se på. En uvanlig ting i en kristen by, en forfengelig ting som pekte opp den veien bare kirka skulle peke, og kirka, den var visst den eldste i landet, men vi kjørte bare rett forbi og ut av byen mot sør.

Og så tok vi av mot øst i en vinkel skrått tilbake mot kysten, kunne det se ut som, det virka tungvint, men sjåføren visste vel noe som jeg ikke visste, og det var jo ikke min sak, han kunne kjøre hvor han ville for meg. Det var en grusvei, det var tørt på bakken, sjøl om lufta var fuktig, og støvet virvla opp bak bilen. Noen kilometer ute på ei slette stoppa vi. Alt var for så vidt sletter. Et stykke fra veien sto et mellomstort hus murt opp av gul teglstein med uvanlig spisst tak og et kvistrom som delte taket i to. Huset var ikke gammelt, men heller ikke nytt, ikke som de bygde dem etter krigen. Det var eldre enn meg. Bak huset gikk det sauer. De hadde god plass å bevege seg på, antakelig veldig god plass, men hele flokken holdt seg tett opp mot et uthus, ei lita løe jeg så vidt kunne se bak det gule huset, der det helt sikkert var lagt ut høy nå som beitene var tomme.

Mora mi gikk ut av bilen. Hansen ble sittende, og da ble jeg også sittende. Hun gikk noen skritt mot huset, ble stående og kom så tilbake og bøyde seg inn i bilen, tok veska fra setet bak og dro en konvolutt opp av veska og smelte døra igjen. Hun åpna konvolutten og rista ut noen svart-hvite fotografier, det var fire stykker av dem. Hun lente seg mot bildøra og spredte dem i hånda som spillkort i poker.

– Hva gjør vi her, sa jeg.

– Det var her broren din ble født, sa Hansen. – I det huset.

Jeg lente meg fram og kunne fint se fotografiene gjennom bilvinduet, og det *var* det huset. På to av bildene var det henne jeg så. Hun satt i gresset med en hund ved føttene, en gjeterhund antakelig, med et ruteress i panna, ikke at jeg visste så mye om hunder, men den så i hvert fall opp på henne, de var venner, en liten befaling, og hunden ville gjort hva som helst hun fant på.

Hun var ung, hun hadde et forkle på som lå raust omkring kroppen. Hun var veldig pen. På det andre bildet satt hun på trammen foran huset ved sida av ei dame som var eldre enn henne. Ikke eldre som ei mor er eldre, men ti år eldre kanskje. På de to siste var det huset bare, fra to forskjellige vinkler. Noen hadde tatt de fotografiene for å huske nøyaktig hvordan huset så ut.

Hun stakk bildene tilbake i konvolutten, åpna døra og la konvolutten tilbake på setet og så bort på Hansen. Hansen nikka og smilte. Da trakk hun lufta inn med en skarp lyd, slapp den ut igjen og lukka bildøra og begynte å gå mot huset, litt ustø på beina, syntes jeg.

Da hun var framme, ble hun stående i hvert fall ett minutt før hun banka på døra, og så venta hun en stund, og det var ingen som kom. Hun snudde seg mot oss i bilen og løfta hendene så vidt til hver side, og Hansen nikka og smilte. Hun banka på døra en gang til, mye hardere nå, og hun venta igjen, og så kom det noen og åpna døra, ei eldre dame, hun var eldre enn mora mi, sytti kanskje. De ble stående ansikt til ansikt. De begynte å snakke med hverandre, men jeg kunne ikke høre hva de sa, det var for langt bort dit.

– Skal vi bare sitte her i bilen, sa jeg.

– Vi sitter vel så lenge vi må, sa Hansen.

– Javel, sa jeg.

De sto der på trammen, og sola slo inn i bilen i et glimt gjennom frontruta og ble borte igjen like fort, og sjåføren satt vendt mot huset og røyka med vinduet på gløtt, en Prince med filter, og jeg snudde meg bort fra den sviende røyken.

– Jeg kjenner deg igjen, sa mora mi. – Du heter Ingrid. Kjenner du meg igjen?

Den gamle dama sto med den høyre albuen lent stivt mot dørkarmen og hånda lett knytta i været på en måte hun garantert hadde gjort i hele sitt liv. Hun så mora mi inn i ansiktet på kloss hold, lot dørkarmen stå av seg sjøl og gikk to skritt tilbake og tok et par briller opp av lomma i forkleet.

– Jo, sa hun. – Jeg kjenner deg igjen. Jeg husker navnet ditt. Du var her, det husker jeg godt. Det var ikke lenge etter krigen. Noen få år bare. Vi så ikke ut da, som vi ser ut nå, smilte hun. – Men kanskje er vi de samme likevel.

– Mon det, sa mora mi.

– Nei, kanskje ikke, sa hun. – Men vil du ikke komme inn?

– Det vil jeg gjerne, sa mora mi.

Hun fulgte med inn i entreen og bøyde seg tungt for å dra ned den blanke glidelåsen i støvlettene, og hun som het Ingrid sa, sånn gjorde du den gangen òg, du var jo gravid, behold dem bare på, det er så tørt ute i dag, det gjør ingenting, jeg feier bare opp.

Hun smilte. – Jeg setter på vann til kaffe, sa hun og gikk ut i kjøkkenet. Der hadde hun to gassbluss på benken, og hun tente det ene og satte over en blankpussa kjele med fløyte i tuten. Mora mi gikk inn i stua. Det var ikke lett å kjenne seg igjen. Den så ut som stua til ei gammel dame. Uansett hvem du var da du var ung, kom plutselig dagen da alt var på plass, nipsen og blondedukene, de små hundene av porselen og gjetergutten i porselen ved møllehjulet et sted i alpene, og i ramme på veggen gikk englene englevakt ved bekken bak jenta med de lysende flettene som lente seg for langt fram for å fange en fisk eller hva det nå var som fantes i bekken. I vindusposten sto pottene med pelargonier og hadde stått der i lang tid allerede og var hvite og røde.

Mora mi åpna kåpa foran og dro den litt ned over skuldrene og satte seg ved kaffebordet og så ut gjennom vinduet mot uthuset der sauene sto tause, tunge, med hodene mot veggen, som de gjorde også den gangen, om høsten, om vinteren, i sol og i snø. Om sommeren trakk de ut i lyngheiene og fant beite der. De fikk gå som de ville, men kom alltid hjem om kvelden, som geiter gjør ved setrene i Norge.

Ingrid kom inn med kaffe i blomstrete kanne og kopper på et brett.

– Du har fortsatt sauer, sa mora mi.

– Jeg greide ikke slutte. Vi har hatt sauer her så lenge jeg kan huske. Eller *jeg,* skal det være, men jeg klarer det fortsatt fint. Vognmann Karlsen døde jo tidlig. Hun kalte mannen sin *Vognmann* Karlsen, som for førti år siden.

Ingrid satte seg i sofaen med ryggen mot vinduet. – Jeg får hjelp av en nabo når det er lamming, og når jeg ellers er i nøden, jeg har jo telefon, sa hun og smilte. – Men det er klart, jeg må nok slutte snart. Hun plasserte en kopp på bordet foran mora mi. Hun venta. Hun var ikke utålmodig. Hun lente seg fram og skjenka dobbeltbrent kaffe i koppen, og duften var overveldende.

– Jeg ville se deg en gang til, sa mora mi. – Jeg bestemte meg for bare noen dager siden. Det kjentes riktig.

– Men det er jo fint for meg, sa Ingrid, – jeg har ikke ofte besøk. Bare sønnen min iblant. Han bor inne i byen over vannet. Jeg tenkte mye på deg de første årene. Men så ble det borte. Hun sa det rolig og litt forsiktig så det ikke skulle bli feil.

– Jeg tenkte også mye på deg. Noen ganger var du det eneste jeg hadde. Vi skulle treffes igjen, tenkte jeg, men det ble aldri noe av, enda så mange ganger jeg var hjemme, sa mora mi og løfta hånda i retning det som

skulle være fastlandet. Det var det jo ikke, men hun sa:
– Huset her var begynnelsen på resten av mitt liv. Eller slutten på det første. Eller begge deler. Du var. Jeg hadde det godt her, det kunne ikke vært bedre, og jeg skulle så gjerne ha blitt, men da han var ett år, var jeg nødt til å reise til Norge. Jeg trodde ikke jeg hadde noe valg. Men det hadde jeg. Og så gråt mora mi med panna mot knærne. – Det ble ikke som jeg hadde tenkt, sa hun, – som jeg håpte, nei det gjorde det ikke, sa hun hardt, – og nå er jeg er syk, sa mora mi.

Ingrid smilte fortsatt. – Er det noe farlig, sa hun.

– Det er visst det, sa mora mi. – Det er i hvert fall hva de tror.

– Det var leit å høre, sa Ingrid. – Skal vi ut og gå, da? Etter kaffen. Orker du?

– Det orker jeg fint.

De drakk kaffe. De smilte til hverandre, mora mi tørka øynene. Det var godt å sitte der, det var varmt, og et øyeblikk tenkte hun, jeg orker ikke gå ut likevel.

– Var det ham der ute i bilen? Det kunne vært interessant å se hvordan han ble som voksen.

– Nei, han der ute, det er broren hans. Han er yngre.

– Og han skal ikke være med inn?

– Han skal ikke være med inn. Han er syvogtredve år, men jeg ville ikke kalle ham voksen. Det ville være en overdrivelse. Han skal skilles. Jeg vet ikke hvor jeg skal gjøre av ham. Og så sitter min venn Hansen der ute i taxien. Han er med som, ja venn. Han venter gjerne.

– Blir det ikke dyrt med taxien?

– Vi har avtalt pris, så den skal jeg nok klare.

– Det var godt å høre, sa Ingrid og reiste seg og gikk ut i entreen og tok kåpa si på, og mora mi fulgte etter

og var tung i kroppen, hadde motstand i kroppen.
– Det er lettere å snakke når en går, sa Ingrid, og mora
mi sa at det hadde hun nok rett i.

Ingrid knytta et skaut rundt hodet. – Det er surt ute,
sa hun, – du må ha noe på hodet. Hun dro et skaut ned
fra ei hylle, et hvitt et med rosa blomster, som skautene
mora mi hadde sett gamle russiske damer bruke, og det
er vel det jeg er, tenkte hun, ei gammel dame.

Døra slo opp, og de kom ut på trammen med skau-
tene stramt knytta under haka, og den gamle dama
trakk døra hardt igjen og snudde seg og kikka bort
mot bilen vi satt i, og av en eller annen grunn låste
hun døra, men jeg trur ikke det hadde noe med oss å
gjøre. Så kom de ned med hendene i kåpelommene og
begynte å gå bort langs veien, bort fra drosja på sletta,
og hva de hadde å si til hverandre, var det ikke lett for
meg å gjette.

Da de var kommet en tjue meter av gårde, åpna
Hansen døra på sin side av bilen og svingte seg ut og
begynte å gå i den motsatte retninga. Jeg fulgte etter.

– Er du stiv i beina, sa jeg.

– Ja, sa han.

– Jeg òg.

Vi gikk et stykke, jeg heiste jakkekraven opp i nak-
ken, og himmelen var grå og lå tett over hodene våre,
og lufta var fuktig og klebrig mot huden og trykka meg
lett mot tinningene. En bra bit borti veien dro jeg
tobakkspakka opp av lomma og rulla en sigarett, og
så rulla jeg én til og bød Hansen den ene.

– Takk som byr, sa han, – den tar jeg gjerne, og jeg
tente dem begge, og vi røyka, og det var faen meg godt.

– Hva trur du de snakker om, sa jeg.

– Det er det ikke vanskelig å gjette, sa Hansen. – De snakker vel om hvordan hun hadde det her, den gangen broren din ble født. Han som kom før deg. Det er jo her det skjedde.

– Jeg veit det. Du sa det nettopp. Jeg har egentlig visst det bestandig, sa jeg, – men jeg greide ikke se det for meg, det var ingen som fortalte meg noenting.

– Nei, de gjorde vel ikke det. Det burde de kanskje ha gjort.

– Ja, sa jeg. Og så sa jeg: – Trur du de snakker om meg også?

– Sannsynligvis ikke.

– Nei, de gjør nok ikke det, sa jeg.

Hansen ville egentlig ikke prate nå, så da gikk vi bare taust videre, og sletta var flat som bare danske sletter kan være flate. En gang for lenge siden gikk noen berserk med et strykejern her.

På den andre sida av sletta lå ei klynge med hus. Et par av dem hadde tak som var dekka med tørka tang. Det var planta trær omkring husene i en sirkel, de var fortsatt lave, det var buskfuru og gran, og rundt den sirkelen gikk vi og så tilbake den veien vi var kommet. Vi gikk ikke fort, og da strøyk jo bare tida så vidt forbi. Tikk, tikk, sa den stille. Som et taksameter. Da vi var framme ved bilen, kom vi oss raskt inn i setene, og sjåføren hadde motoren i gang for å holde på varmen. Jeg så bort på bensinmåleren, men pila viste halv tank og mer enn det.

Og så kom de gående tilbake langs veien, arm i arm, skaut ved skaut, lett bøyd mot den våte vinden. Foran huset ble de stående, fortsatt arm i arm, eller heller hånd i hånd, og det var fortsatt ting de skulle si, for de gikk opp til huset sammen og forsvant inn bak døra, og vi venta i bilen lent opp i hvert vårt hjørne, og et kvarter seinere kom hun ut av huset aleine med ei lita pakke i hånda.

Etter middagen i første etasje på hotellet gikk jeg opp på rommet og henta flaska med calvados fra natt-bordet og tre glass av plast og gikk ned igjen. Mora mi og Hansen satt fortsatt ved bordet, jeg satte flaska og glassene foran dem. De hadde hver sin rykende sigarett mellom fingrene. Det var mørkt ute. De så på hverandre, og mora mi så på meg og smilte lett, ikke entusiastisk, men ikke skeptisk heller. Jeg skjenka i glassene, og Hansen greip sitt og løfta det til munnen og sa:

– En skål for *Triumfbuen* da, har jeg forstått, og mora mi løfta sitt og sa:

– *Triumfbuen*, en skål for Boris og Ravic, Gud vel-signe dem begge, og de lo, og jeg løfta glasset mitt og lo jeg også, litt mer forsiktig enn dem, og så tok jeg en slurk. Smaken var sterk og god, og mye bedre enn whisky smaker. Brennevinet rant glødende ned i magen, og bassen til Hansen fikk alt til å vibrere.

– Fy for helvete, sa han, – det var godt brennevin.

– En til, sa jeg og løfta flaska, men Hansen rista på hodet, og mora mi sa:

– Det får vel være nok for én dag. Jeg trekker meg tilbake. Vi sees i morgen.

– Ditto, sa Hansen, og jeg hadde hørt det ordet før og visste hva det betydde, så da gikk han vel opp og la seg han også, og det gjorde han, og sammen gikk de opp til annen etasje, og jeg ble sittende ved bordet aleine. Jeg skjenka i en ny dram og drakk det gule brennevinet i små slurker mens jeg så ned mot havna gjennom vinduene og så lysene langs kaiene, det var lys i noen av båtene og lys langs gangveien innerst. Jeg reiste meg, tok losjakka fra stolen, stakk flaska i inner-lomma og tok glasset med meg ut og gikk ned til havna og ut på en av kaiene langs fiskebåtene som lå butt i butt hele veien ut. Jeg stoppa ikke før jeg var kommet til enden og sto der ei stund og hørte hvor svakt og klirrende bølgene slo mot betongen i mørket. Jeg skjenka glasset nesten fullt og gikk sakte tilbake mens jeg drakk, jeg var i godt humør, det var brennevinet, det visste jeg godt, men det gjorde ingenting.

25

Hansen var ikke våken ennå, så vi sto bare vi to på stranda som vendte mot vest og mot fastlandet. Det var væromslag og plutselig glitrende kaldt, og lyset var godt på vei, det var minusgrader og helt blankt i lufta som det noen ganger er om høsten, som et forstørrelsesglass senka fra himmelen. Gjennom glasset så vi byen bli tydelig der inne med ei svak og rustrød stripe av hustak mot nord og mot sør og i midten steig kirketårnet høyt. På dager uten dis var det mulig å se rett over sjøen fra åsen bak byen og helt ut til stranda hvor vi sto nå.

Jeg kunne så vidt skimte toppen av den gamle kornsiloen som var murgrå og massiv med logoen *dlg* malt i rødt mot hvit bunn svevende høyt over havna, men de bokstavene kunne vi ikke se her ute fra. Siloen var tom nå, bare hule ekko og kubikkmeter svarte som køl fra toppen og ned. Alt var i forandring, hele byen var. Det var flere gågater og butikker enn før, det var flere puber, det var flere ferger som var fullere av nordmenn, av fulle nordmenn og fulle svensker.

Jeg snudde meg halvt og så på henne. Lufta var klar, og vinden skar oss i ansiktet. Med den venstre hånda holdt hun kåpa tett i halsen, i den høyre holdt hun sigaretten i hul hånd mellom vantefingrer for å skjerme den mot vinden, og vinden piska håret hennes rundt og rundt i krøllete sirkler, og håret var fortsatt mørkt, men de grå stripene var lettere å se enn de var bare dagen før.

Jeg hadde losjakka på, og sigaretten holdt jeg mellom nakne fingrer. Ørene mine var nok kritthvite nå, og fingrene ble sakte men sikkert blå. Til slutt var de så kalde at jeg trudde de skulle sprekke, og neglene verka, og jeg orka ikke mer og kasta sigaretten halvrøykt ned på den hardfrosne sanda. Så stakk jeg hendene i lommene på jakka, og der inne knøyt jeg dem hardt og åpna dem mange ganger. Den høyre hånda kjentes mye bedre nå. Kanskje fordi den var nummen. Det hovne kinnet brant i kulda.

– Har du ikke noe varmt å ha på hendene?

– Nei, sa jeg.

– Du er litt surrete, sa hun og dytta meg litt i skulderen med skulderen sin. Jeg ble så glad. – Det har du alltid vært, sa hun.

– Jeg veit det, sa jeg. – Det har jeg vært siden jeg var liten.

– Jeg har dessverre ikke noe du kan låne. Jeg har bare ett par vanter med meg.

– Det er helt i orden. Jeg varmer dem i lomma.

– Men da får du ikke røyka den sigaretten.

– Mamma, jeg behøver ikke røyke hele tida.

– Nei, det er klart. En burde jo slutte egentlig. Jeg burde. Og så ble hun stille og så bare rett framfor seg, og så sa hun: – Herregud, det er vel ingen vits i det nå. Å slutte å røyke.

Jeg burde ha sagt noe fint akkurat der, men jeg visste ikke hva som var riktig å si, om det fantes noe riktig, jeg trudde ikke det, og de som sa at det var, de hadde ikke peiling. Så da sa jeg det første som falt meg inn.

– Er du redd, sa jeg.

– For hva da, sa hun og snudde seg brått og så meg i ansiktet for første gang siden vi gikk ned hit. Jeg kjente rødmen komme og bøyde meg litt fram og stirra i bakken.

– Tror du jeg er redd for å dø, sa hun.

– Jeg veit ikke, sa jeg. – Er du?

– Nei, sa hun, – jeg er ikke redd for å dø. Men jeg vil faen ikke dø nå. Hun snudde seg tilbake mot vannet og løfta sigaretten og tok et heftig drag og stirra inn mot kysten over de lave bølgene og blåste hardt ut igjen.

Det var sant, hun var ikke redd for noe som jeg kunne komme på, men jeg visste det var noen få ting hun virkelig ville se før hun døde, være med på først, det ville vel alle det, men hun ville se Sovjetunionen endelig gå over ende, nå som Muren hadde falt; å få være med på det og det som kom etter, se Gorbatsjov triumfere eller trekke seg tilbake og si at det hele hadde gått for langt, hvilket ikke var usannsynlig, men uansett var det bittert om hun ikke fikk det med seg, og jeg ville jo gjerne se alt sammen sjøl, og det fikk jeg vel også, men når det gjaldt det å dø, var jeg redd. Ikke for å *være* død, det kunne jeg ikke begripe, det var å være ingenting og derfor ubegripelig for meg og ikke noe å være redd for egentlig, men nettopp det *å dø*, det kunne jeg begripe, akkurat *det* sekundet da du helt sikkert veit at nettopp *nå* kommer det øyeblikket du alltid har frykta, da du plutselig forstår at alle muligheter for å være den du egentlig *ville* være, er over og forbi, og at den du *var*, er den de andre vil huske. Da ville dét bli som en sakte stramning om halsen og ikke ei dør som noen åpner og lys flommer ut, og en kvinne eller mann du alltid har kjent og alltid har likt, kanskje alltid har elska, stikker hodet sitt fram og vinker deg stille inn til en hvile der inne bak døra så mild og så fin ifra evighet til evighet.

– Skal vi gå opp, sa jeg.

– Jeg vil stå her litt til. Bare gå opp først du, sa hun, – så kommer jeg etter.

– Er du sikker, sa jeg.

– Ja, selvfølgelig er jeg sikker, sa hun, men jeg syntes det var feil av meg å gå, så jeg ble stående, og hun sa:

– Jamen, så kom deg nå av gårde. Og da måtte jeg jo gå.

– Javel, sa jeg.

Jeg snudde meg og gikk opp mot havna og hotellet med vinden i ryggen. Et stykke borte på stien gjennom sanda, stoppa jeg og snudde meg og så henne stå med ansiktet vendt mot byen over vannet, og da forlot jeg stien og tok en sving til venstre mellom klittene, som vel knapt kunne kalles for klitter, sjøl om det var det *jeg* kalte dem. Jeg kalte dem klitter da jeg var liten. Men de var heller store avlange hauger av sand og marehalm som holdt sanda fast i et ubegripelig intrikat nett, og det var le på baksida av den største haugen, så da kom ikke vinden susende her som den gjorde på stranda, og det føltes ikke like kaldt. Jeg løfta hendene mot øra og gnei dem forsiktig.

Jeg satte meg ned med haugen i ryggen. Jeg lot hodet synke i jakka før jeg dro hendene opp i ermene så langt det var mulig og la armene i kors over brystet og lente meg mot knærne.

Etter en stund rulla jeg meg over og krabba på knær og albuer bort til enden av haugen, og der kikka jeg ned mot stranda. Hun sto fortsatt med ryggen til. Det blåste litt sterkere nå, og vinden piska skum fra den ene bølgetoppen til den andre. Det var litt stilig. Jeg rygga tilbake og satt der som før. Jeg stirra ned i sanda. Der var det ikke mye å se på. Jeg er sjuogtredve år, tenkte jeg. Muren har falt. Og her sitter jeg.

Etter det jeg håpte var et kvarter eller mer, gjorde jeg det samme igjen, rulla meg over og krabba bort til enden av haugen og kikka ned mot stranda. Nå sto hun på kne. Det så merkelig ut.

Jeg ble liggende på den måten i flere minutter for å se om hun reiste seg, men det gjorde hun ikke. Jeg ålte meg tilbake og lente ryggen mot haugen og kneip øynene sammen og prøvde å konsentrere meg. Det var noe jeg leita etter som var veldig viktig, en helt spesiell ting, men uansett hvor hardt jeg tok meg sammen, pressa øynene sammen, kunne jeg ikke komme på hva det var. Jeg dro opp noen strå fra tusten med marehalm og stakk dem i munnen og tygde på dem. De var harde og skar meg i tunga, og så tok jeg flere strå, en neve full nesten, og putta dem i munnen og tygde dem grundig mens jeg satt der og venta på at mora mi skulle reise seg og komme.

Oktober pocket